René Barjavel

Les enfants de l'ombre

et autres nouvelles

Denoël

Ces nouvelles sont issues du recueil
Le prince blessé (Folio n° 5765).

René Barjavel est né en 1911. Il termine ses études au collège de Cusset, puis entre au *Progrès de l'Allier*, à Moulins, où il apprend son métier de journaliste. Il rencontre l'éditeur Denoël qui l'engage comme chef de fabrication. C'est chez lui que, après avoir fait la guerre dans un régiment de zouaves, il publie son premier roman, *Ravage* (1943), qui précède la grande vogue des ouvrages de science-fiction. Barjavel a écrit une vingtaine de livres, dont *La nuit des temps*, *Les chemins de Katmandou*, *Tarendol* et *La faim du tigre*. Il a collaboré en tant que dialoguiste à une vingtaine de films, parmi lesquels la série *Don Camillo*. Il est décédé en novembre 1985.

Découvrez, lisez ou relisez les livres de René Barjavel en Folio :

L'ENCHANTEUR (Folio n° 1841)

LA PEAU DE CÉSAR (Folio Policier n° 64)

LE DIABLE L'EMPORTE. Roman extraordinaire (Folio SF n° 48)

LE PRINCE BLESSÉ ET AUTRES NOUVELLES (Folio n° 5765)

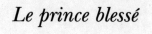

Le prince blessé

« Allô ! Ici Radio Bagdad… Vous êtes à l'écoute de Radio Bagdad sur ondes longues, sur ondes moyennes, sur ondes courtes et ultracourtes, sur toutes les ondes que vous voudrez et sur les autres aussi, car il faut que le monde entier reçoive aujourd'hui la nouvelle : notre souverain bien-aimé, Commandeur des Croyants, béni d'Allah, le grand Khalife Haroun al Raschid vient d'avoir un fils.

« Au cours de la très longue vie qu'Allah lui a accordée, notre souverain bien-aimé a fait don de lui-même, pour leur bonheur, à treize mille sept cent quarante-deux épouses. C'est la dernière choisie, la plus jeune, la plus rose, la plus ronde, Fatima la bien-aimée – elles furent toutes les bien-aimées –, qui a reçu d'Allah la grâce de porter en son sein le fils né ce soir. Il est venu au monde les yeux ouverts, ce qui signifie qu'il sera toujours à la recherche de la lumière. Qu'Allah lui accorde de la trouver, et qu'Il vous accorde, à vous qui écoutez, la Paix et la Joie. Sa mère a donné au glorieux garçon le nom d'Ali. Qu'ils soient bénis, elle et lui. Il n'y a qu'un seul Dieu, c'est Dieu. »

Seize ans et un jour après la diffusion de cette nouvelle, au lever de la pleine lune, la 2 CV en or du Khalife s'arrêta devant l'entrée du stade olympique de Bagdad, où allait se disputer la finale de la coupe du Monde de football, entre l'équipe du Croissant et celle de la Faucille. Haroun al Raschid replia sur son avant-bras gauche sa longue barbe blanche afin de ne pas la piétiner en descendant de voiture, introduisit ses pieds nus délicats dans les babouches que lui présentait son Grand Vizir agenouillé, et entra dans le stade entre deux haies de paras en battle-dress qui lui présentaient leurs armes.

Quand il apparut dans la tribune impériale, les trois cent mille spectateurs, y compris les supporters de la Faucille, se levèrent et l'acclamèrent en brandissant des fanions et des banderoles. Et le match commença. Ali jouait avant-centre. Il marqua de la tête, de façon foudroyante, les trois buts qui donnèrent la victoire au Croissant. Ce fut si beau que les deux équipes réunies le portèrent en triomphe. Les paras durent tirer dans la foule qui avait envahi la pelouse et se précipitait vers lui comme la mer. Elle n'en aurait rien laissé. Chacun voulait en emporter un morceau, tant l'amour qu'il inspirait était grand. Il était le plus beau, le plus vaillant, le plus doux, le plus intelligent des garçons de l'Empire et peut-être du Monde. Quand il apparaissait à la télévision, ses grands yeux purs ouverts sur la profondeur de son âme, les femmes de Bagdad sentaient toute la chaleur de leur sang se concentrer au même endroit de leur corps, et certaines, parfois, mouraient.

Après avoir essuyé une larme de joie, Haroun al Raschid rentra au palais. Il traversa le jardin bleu où chantaient les rossignols et les fontaines, et le vent frais de la nuit lui caressa les joues avec douceur. Il traversa le harem et tendit sa barbe à baiser à celles de ses femmes qui ne dormaient pas encore. C'était tout ce qu'il pouvait faire maintenant pour elles. Depuis la naissance d'Ali, Allah lui avait retiré sa jeunesse. Il n'avait plus pris d'épouse, il avait renvoyé dans leurs familles, avec un sac d'or, les vierges que lui offraient les tribus. Et les tribus savaient, comme lui et Allah le savaient, que la fin de son grand règne approchait. Ali serait son successeur. La plupart de ses précédents fils étaient depuis longtemps morts de vieillesse. Ceux qui vivaient encore et auraient pu prétendre à la succession y avaient renoncé quand ils avaient vu les yeux d'Ali.

Couché dans ses coussins de soie – les plus beaux étaient en soie de Chine et lui avaient été offerts par l'empereur Mao qui était presque aussi âgé que lui – Haroun al Raschid soupira de

bonheur et de lassitude, et appuya sur le bouton d'une sonnette. Omar apparut. C'était le
génie que le Commandeur des Croyants avait
chargé de veiller sur Ali, dès le premier instant
de sa naissance. Il ne le quittait jamais, jamais.
À ce moment même, bien qu'il fût debout au
pied de la couche du Khalife, il était aussi auprès
d'Ali. Il restait en général invisible, mais pouvait
se manifester matériellement à la demande du
prince ou de son père, sous toute forme qu'ils
lui demandaient. Dans le désert, il devenait
tente, chameau ou source. Au palais, il pouvait
être petit chien ou cinéma, ou n'importe quoi
selon le besoin ou le devoir. Quand on ne désirait rien de précis, c'était lui qui décidait. Ainsi
venait-il d'apparaître là sous la forme discrète
d'un jeune serviteur, vêtu d'une robe bleue à
ceinture d'or qu'il aimait beaucoup.

— Comment va Ali ? demanda le Khalife.

C'était la question de chaque soir. Ce soir-là,
le Khalife ajouta :

— Il n'est pas trop fatigué ?

— Il est superbe ! dit Omar avec orgueil,
comme s'il se fût agi de son propre fils.

Mais il y avait des milliers d'années qu'Omar
n'avait plus engendré. Son dernier fils, après
une longue carrière, avait pris imprudemment
la forme d'un dragon pour manger quelques
jeunes filles et saint Georges l'avait tué.

Le Khalife soupira et dit :

— Il est temps de penser à en faire un roi…

— Il est temps, dit Omar.

— Il connaît le Coran et les poèmes, la chimie du pétrole et sa géologie, la gravitation du dollar, le langage des oiseaux et celui des étoiles, et bien d'autres choses indispensables à ce métier, qui devient chaque jour plus difficile. Tu n'imagines pas, mon pauvre Omar, comme il est compliqué de travailler au bonheur du peuple sans s'attirer sa rancune.

— J'imagine, j'imagine, dit Omar.

— Moi, je me suis toujours arrangé pour être aimé par les femmes. L'amour des femmes du peuple est la racine des rois. Encore ne faut-il pas se laisser dévorer. Mon Ali est vierge du cœur et de la chair, et plus tendre que la crème du lait de gazelle. Si nous n'y prenons garde, toi et moi, elles le mangeront comme un agneau. Il faut qu'il apprenne à se méfier des femmes, Omar. On ne les aime bien que si l'on y prend garde. Où pourrions-nous l'envoyer pour l'aguerrir ?

Omar leva les deux mains ouvertes en un signe d'évidence.

— Tu as raison, j'y pensais aussi, dit le Khalife…

Le lendemain, Haroun al Raschid fit savoir au président de la République française qu'il désirait acheter le jardin des Tuileries pour y construire un palais pour son fils. Le président lui répondit qu'il ne pouvait laisser une dynastie étrangère,

fût-elle amie, s'établir dans un jardin municipal.
Avec son profond regret. Le Khalife, alors, acheta
le Crillon, renvoya les clients dans leurs foyers et
fit entièrement reconstruire et redécorer l'intérieur en style du Croissant. Cela ne prit que deux
ans, pendant lesquels Ali devint plus grand, plus
fort, et encore plus beau.

Quand vint le jour du départ, la mère du
prince, Fatima – toujours belle –, versa beaucoup
de larmes et Ali en versa quelques-unes en lui
baisant les mains. Mais l'intérieur de son cœur
était joyeux à la pensée du voyage et du séjour
dans la capitale de l'Occident pleine de merveilles et de fumées. Il prit respectueusement
congé de son père, qui lui dit :

— Surtout ne sois pas sage !

— Oui, Sire.

— Omar t'accompagne.

— Et Allah aussi, mon père.

— Et Allah aussi, bien entendu.

En une semaine, Paris devint fou d'Ali.
L'intérieur du Crillon avait été en partie enlevé,
comme celui d'une tomate qu'on veut farcir.
Dans cet espace rendu libre, les architectes du
Khalife avaient fait naître un jardin oriental plein
de fleurs, de fontaines et de perroquets, avec
quelques gazelles mélancoliques. Ali y donna
des fêtes comme on n'en avait plus vu depuis
des siècles. Au petit matin, elles débordaient sur
la place de la Concorde qu'elles emplissaient

de lumière et de musique. Les quelques auto-
mobiles qui passaient se joignaient à la danse,
avec les agents accourus. Quand venait le jour,
la place était couverte de confettis et de serpen-
tins parmi lesquels dormaient des filles et les
éboueurs ivres.

Le visage du prince paraissait sur la couverture
de toutes les revues. Des attroupements se for-
maient devant les kiosques pour le contempler.
Van Dongen fit de lui soixante-dix-sept portraits
et les accrocha au mur d'une pièce ronde. Il s'assit sur un pouf tournant, au centre de la pièce,
au point exact où les soixante-dix-sept immenses
regards du prince regardaient, et on ne put plus
l'en faire bouger. Le pinceau qu'il tenait à la
main devint sec. On inhuma le peintre sur place.
Ce lieu se nomme depuis le Musée du Regard.

Toutes les buveuses d'or aux grandes dents,
toutes les adolescentes romanesques et naïves,
toutes les femmes mûres incomprises se ruèrent
vers Ali. Omar se rappela les craintes du Khalife
et, pour empêcher que son jeune maître fût
dévoré, il le revêtit sans qu'il le sût d'un scaphandre invisible et magique qui le gardait à
l'abri : Ali recevait ses admiratrices, se réjouis-
sait de les trouver belles, dansait et jouait avec
elles, les emmenait au Maxim's, aux courses, à
Deauville, à trois cents à l'heure dans sa Maserati
avec une pluie de contraventions, les déshabillait
dans sa somptueuse chambre pleine de coussins,

de lamé, de miroirs et de lévriers du désert, bati-
folait, les embrassait, les chatouillait et s'endor-
mait sans faire rien de plus. Omar se manifestait
alors sous la forme d'une grande et forte servante à moustache et évacuait les désolées, dont
Ali ne se souvenait plus au réveil.

Mais, à être si bien préservé, le prince, après
six mois de séjour à Paris, possédait encore
autant d'innocence qu'à son arrivée. Omar,
laissant la moitié de lui-même veiller sur son
sommeil, fit faire en un instant à l'autre moitié le voyage de Bagdad pour rendre compte à
Haroun al Raschid et demander des instructions.
Le Khalife l'écouta, assis sur un tapis qui avait
mille ans d'âge, les yeux presque clos et les deux
mains croisées dans sa barbe.

Enfin, Omar, qui avait gardé sans y penser
l'apparence de la servante moustachue, termina
par ces deux mots :

— … et voilà !

Le Khalife rouvrit les yeux, releva la tête,
regarda le curieux aspect du génie et lui dit :

— Tu as bien l'air de ce que tu es : une vieille
bête… Ce n'est pas la peine d'être plus âgé que le
mont Ararat pour avoir si peu de jugement… Tu
devrais savoir que ce ne sont pas *les* femmes qui
sont dangereuses, mais *une* femme. Tant qu'elles
sont une foule à le vouloir, lui n'en voudra
aucune, et il ne risquera rien. Comment veux-tu
qu'il apprenne à s'en préserver si tu l'en pro-

tèges ? Ce n'est pas sur le sable du désert qu'on apprend à nager. Jette-le à l'eau !...

Trois secondes plus tard, Omar dépouilla Ali de son scaphandre et introduisit dans son lit toutes les filles nues du Crazy Horse Saloon qui venaient de terminer leur spectacle. Mais elles étaient exténuées et s'endormirent. Ce fut seulement la nuit suivante que le prince eut la révélation de ce qu'on nomme les joies charnelles, par les soins d'un bataillon de filles ravissantes qu'Omar avait sélectionnées dans la journée. Il y en avait des brunes, des blondes, des rousses et même des noires et des jaunes, toutes un peu grasses, comme on les aime à Bagdad. Il y en avait dans les fauteuils, sur les coussins et les sofas, dans la baignoire, sur l'armoire incrustée de nacre, sur la table basse en bois découpé, dans le plateau de cuivre et dans le lit, sous les draps, entre les draps, sous chaque couverture et une en travers, à la place du traversin. Cela composait une sorte de jardin mouvant de bras, d'épaules, de seins et de derrières qui découvraient parfois la bouche rose d'un sexe, fleur carnivore et assoupie.

Ali ne se rappela jamais en quelle fleur il avait sombré en premier, puis en combien d'autres. Cette nuit lui laissa un souvenir confus et chaud, comme celui d'une baignade au bord de la plage en plein été : on n'identifie pas les vagues

aimables qui vous recouvrent, vous aspirent, vous
reçoivent, s'évanouissent...

Il fut d'abord émerveillé par ce jeu nouveau
et, comme Allah lui avait donné une grande
santé, il s'y amusa beaucoup. Mais en quelques
mois il en fut saturé et commença à dire :

— Les femmes ? Bof !...

En vérité, il en avait tant vu qu'il n'en avait
vu aucune, mais Omar crut que son éducation
était faite. Il fit savoir au Khalife qu'il était temps
de ramener l'enfant au bercail. Ali accepta avec
joie l'idée du retour. Il commençait à ne plus
supporter Paris, son agitation et ses odeurs. Il lui
semblait, chaque jour un peu plus, être pareil à
la graine de pissenlit que le vent emporte, passant d'un tourbillon à un contre-tourbillon, ne
se posant jamais assez longtemps à terre pour y
pousser des racines et y goûter l'humus. Parmi
les gens qui tourbillonnaient autour de lui en
ces voyages sur place, il y avait certainement des
hommes et des femmes intelligents et qui lui
portaient de l'amitié, peut-être de l'affection,
mais il ne pouvait vraiment s'approcher d'aucun
ni d'aucune, car ils étaient tous sceptiques et
égoïstes. Il ne les entendait jamais parler avec
bienveillance de qui ni de quoi que ce fût. Ils
critiquaient, ils ricanaient, ils protestaient, ils
affirmaient, à la rigueur ils souriaient mais seulement pour montrer qu'ils n'étaient pas dupes.
Parfois un regard des grands yeux du prince les

décontenançait un instant et ils s'y surprenaient tels qu'ils étaient, comme en un miroir de vérité. Ils se détournaient très vite, ils n'auraient pu supporter de savoir, ils seraient tombés en morceaux.

Quant à Celles de la nuit, elles étaient savoureuses et sans visage, comme les poulardes, les pintades et les cailles bien plumées, serrées les unes contre les autres à un étalage enrubanné pour la fête de Noël.

Le départ fut donc décidé. Ali s'acheta pour rentrer un avion Concorde, qu'il fit bourrer de chocolats pour sa mère et pour les autres femmes de son père. La veille de l'embarquement, voulant passer une dernière soirée tranquille, il décida d'aller au théâtre. Dans la salle qu'il choisit on jouait une pièce d'Anouilh, *Ardèle ou la marguerite.*

À la demande du directeur de théâtre, qui était son ami, Jean Anouilh avait ajouté un rôle à sa pièce. Il était destiné à Pauline, la fille du directeur. Dès son plus jeune âge elle avait voulu faire du théâtre, mais elle était peu douée. Elle avait échoué six fois au Conservatoire, découragé René Simon et tous les autres directeurs de cours dramatiques et, malgré les amitiés et les relations de son père, n'avait jamais pu faire partie de la distribution d'un spectacle. Elle tirait toutes les sonnettes, couchait avec les directeurs, les auteurs et les metteurs en scène. En vain. Elle était devenue une légende. Elle faisait peur. Son nom prononcé pendant les répétitions hérissait les cheveux des responsables, qui prévoyaient aussitôt la catastrophe. On conjura le sort en mettant à l'amende ceux qui parlaient d'elle, comme de la corde. Elle avait ainsi atteint trente-cinq ans, et la passion et la déception l'avaient tant dévorée qu'elle était maintenant semblable à une chèvre, avec des membres secs et du poil noir qui lui poussait partout. Elle restait belle, cependant, à cause de la flamme dans ses yeux, de sa légèreté chaque jour plus légère, de ses petits seins raides.

Anouilh, amusé, avait inventé pour elle quelque chose d'exceptionnel : vêtue d'une sorte de combinaison sans style, de couleur verte, elle entrait dès le lever du rideau, venait s'asseoir à la rampe, les jambes plongeant dans la salle, et ne bougeait plus. Elle ne faisait toujours pas partie de la distribution, elle n'appartenait pas à la pièce, elle n'était pas un des personnages, elle leur tournait le dos, elle regardait les spectateurs et ne disait rien. Jusqu'au moment où retentissait au lointain le cri terrible du paon et de la femme folle : « Léon ! Léon !... » Alors Pauline se levait, et, toujours face à la salle, répondait en criant : « Merde ! » puis se rasseyait, muette.

L'effet fut prodigieux. Pauline, du jour au lendemain, connut la gloire. Elle resta modeste, ne vivant que pour ce cri, autour duquel elle se concentrait pendant les heures de la journée, le répétant parfois à son balcon au-dessus de Paris, au vingt et unième étage de la Tour de Seine, ou dans la solitude d'un fourré du Bois de Boulogne. Il arrivait qu'elle se crût seule et qu'elle ne le fût pas, et qu'elle emplît de stupéfaction un promeneur, un enfant ou un chien, qui s'enfuyait en courant, la queue entre les pattes.

Bien qu'il eût été le plus parisien des Parisiens pendant un an, Ali restait bien élevé. Il arriva et s'assit, au premier rang, avant le lever du rideau. Quand celui-ci monta vers les cintres, du fond du décor arriva Pauline toute verte. Elle vint prendre place juste en face d'Ali et le regarda. Et lui ne vit plus qu'elle. Il n'entendit rien de la pièce, sauf le Cri. Quand elle le poussa, il se dressa et cria à son tour en lui tendant les bras. Il n'avait pas compris le sens du mot. Il parlait dix-sept langues parfaitement, sauf leurs termes grossiers. Et le cri persan qu'il poussa pour répondre à Pauline signifiait « joie ! ».

Ce fut le début de ces fameuses amours qui occupèrent pendant des mois les premières pages de la presse du cœur. On avait, évidemment, remis à plus tard le retour à Bagdad, poussé le Concorde sous un hangar et racheté le Crillon. Aux inquiétudes d'Omar, qui crut voir en Pauline la femme dévorante, Haroun al Raschid répondit qu'il n'y avait rien à craindre d'une actrice, que celle-ci était incapable de s'attacher à qui que ce fût plus qu'au théâtre, et que cet épisode terminerait convenablement l'éducation du prince.

Pourtant, Pauline paraissait folle d'amour pour Ali, comme Ali était fou d'amour pour elle. Il venait tous les soirs au théâtre et l'emportait aussitôt après la représentation, à demi démaquillée, à demi déshabillée, une jambe verte, une jambe brune, dans sa Lamborghini en trois secondes jusqu'au Crillon, en deux secondes jusqu'à sa chambre. Et les perroquets du jardin se réveillaient pour apprendre un nouveau répertoire : des râles, des halètements, des sanglots, des rires, des clameurs, des soupirs, silence...

Il composa pour elle ce poème immortel :

> *Ton visage est comme la Lune*
> *Tes seins sont comme la Lune*
> *Ton ventre est comme la Lune*
> *Ta fontaine d'amour est comme le croissant*
>   *de la Lune*
> *Tes genoux sont comme la Lune*
> *Tes orteils... etc.*

C'est ce qu'on peut écrire de plus beau pour une femme, en Orient.

Il ne la quittait pas de la journée. Elle répétait en sa compagnie. D'un bout à l'autre du jardin du Crillon elle lui jetait le Cri, et les perroquets le répétaient avec tous les accents d'oiseaux. Ali ne savait toujours pas ce qu'il signifiait, il ne le lui avait pas demandé, elle n'imaginait pas qu'il pût l'ignorer.

Il lui offrit des kilos de diamants et des kilomètres de perles. Il fit rouvrir les usines Rolls qui étaient fermées depuis un siècle pour lui faire fabriquer une voiture constellée de pierres précieuses et peinte par un miniaturiste venu de Téhéran. À cause de la rareté de l'essence, elle était suivie partout par un camion-citerne qui se ravitaillait directement au pipe-line personnel du prince.

Elle l'emmenait déjeuner dans des bistrots incroyables où on trouvait encore du bifteck-frites nature. Derrière eux, la mode s'emparait de ces endroits insolites, les prix flambaient, le patron était aspiré par l'Amérique, et sur les tables on ne trouvait bientôt plus, comme ailleurs, que l'entrecôte de soja et le vin national, obtenu, dans les vignobles du Sud-Ouest, par la fermentation des vieux papiers.

Elle avait une grand-mère en Auvergne qui lui envoya un saucisson d'âne presque grand comme le doigt. Ils allèrent le manger en pique-nique dans le bois de Saint-Cloud. Ils se réjouirent comme des enfants et laissèrent derrière eux, exprès, un papier presque gras.

Il ne la quittait qu'au moment où elle allait entrer en scène. Il courait à travers les coulisses pour rejoindre sa place au premier rang et être

là, assis, au moment où elle arrivait du fond obs-
cur du plateau pour s'asseoir dans le rond d'un
projecteur, en face de lui. Elle le regardait, il
la regardait, il n'y avait rien d'autre au monde.

Un soir, à l'entracte, il trouva, assis dans la loge
de Pauline, dans l'encoignure, sous le porteman-
teau, avec une jambe de pantalon qui lui pen-
dait sur la tête, un personnage triste et blême,
vêtu de noir, portant des lunettes noires et
coiffé d'une casquette noire. Pauline le lui pré-
senta avec excitation. C'était Brrojislav Kadin, le
célèbre metteur en scène bulgare, le rénovateur
du théâtre, célèbre dans le monde entier. Du
fond de Sofia, il avait entendu son Cri, et il avait
traversé l'Europe pour l'entendre de plus près,
et pour la voir. Ali se réjouit pour Pauline, mais
cette nuit-là elle fut distraite pendant l'amour et,
l'après-midi suivant, au lieu de répéter avec lui
dans le jardin, elle le quitta pour la première fois
depuis leur rencontre : elle avait rendez-vous au
théâtre avec Brrojislav Kadin.

Au bout d'une heure, Ali, fou d'impatience,
sauta dans sa Ferrari, freina à mort, usant ses
quatre pneus dans un nuage de vapeur de gomme,
bondit jusqu'à la loge, la trouva vide, courut en
tous sens dans le théâtre désert et finit par trouver
Pauline, en collant blanc sale, en train de ramper
sur le sol des lavabos, tandis que Brrojislav, assis
sur la cuvette, toujours aussi triste et blême, lui
jetait comme des insultes des morceaux de phrases

rocailleuses après lesquelles elle se contorsionnait sur le carreau, se nouait les bras, tire-bouchonnait une jambe, révulsait les yeux.

Ali, voyant sa bien-aimée dans cette situation horrible, ne prit pas le temps de se demander quelle était la puissance du génie malfaisant qui était en train de la torturer : il bondit sur l'ennemi, le souleva, le fit pivoter et le plongea dans la cuvette, les pieds en l'air. Puis il ramassa Pauline et la serra sur son cœur en la couvrant de baisers et de mots d'amour.

Elle poussa des clameurs et lui frappa le visage de ses deux poings. Surpris, il la lâcha, elle courut à Brrojislav, le tira de la cuvette comme un merle tire un ver de son trou, lui essuya les joues, lui baisa les mains, pleura. Il n'avait pas perdu ses lunettes.

Puis elle se tourna vers Ali et d'une voix glacée lui dit qu'il n'était qu'un bourgeois inculte qui par sa bêtise avait interrompu un moment sublime : elle était en train de répéter du Brecht ! Le plus grand metteur en scène du monde, celui qui avait réinventé tout le théâtre, en supprimant les décors, les costumes, les lumières, le texte, était venu exprès pour elle du fond de l'Europe, et voilà comment il était reçu : Imbécile ! imbécile ! imbécile !…

Elle s'agenouilla devant le Bulgare qui s'était rassis sur la cuvette sans émotion apparente. Il avait l'habitude d'être persécuté. C'est le sort du génie. Elle lui baisa les genoux et lui demanda pardon. Il fit un geste et prononça quelques mots qui ressemblaient à un tas de cailloux qu'on vide dans un broc. Elle ne connaissait pas le bulgare, il ne parlait pas le français, mais le théâtre est un langage universel. Elle comprenait. Ce qu'il venait de dire signifiait : « On enchaîne. » Elle se renversa en arrière sur le sol, allongea son bras droit au-delà de sa tête, et se fit un tour-du-cou avec le gauche. Ali, désemparé, les yeux pleins de larmes, vit les pointes dures de ses petits seins essayer de percer le collant sale pour lui faire un signe de reconnaissance. Puis il ne les vit plus : Pauline s'était retournée sur le ventre, et léchait le carreau.

Deux mois plus tard, Ali était devenu pareil à l'ombre d'Ali. Il passait ses nuits à pleurer et à gémir, et ses journées à mille tentatives pour essayer de parvenir jusqu'à Pauline, qui, après la scène des lavabos, n'avait plus voulu l'entendre ni le regarder ni se laisser effleurer par lui du bout du petit doigt.

Elle avait vendu une poignée de diamants, et subventionnait Brrojislav qui allait monter *Le Cid* comme on ne l'avait jamais vu. Elle répétait chaque jour sur le quai de la station désaffectée du Champ-de-Mars, où auraient lieu les représentations. Brrojislav, parvenu au sommet de son évolution, avait décidé de supprimer aussi les spectateurs. Ceux qui voudraient voir la pièce prendraient le métro et regarderaient en passant. Pas de privilèges.

Pauline jouait Don Gormas. Rodrigue était interprété par une vieille femme énorme. Pourquoi réserver aux hommes, et aux hommes jeunes et beaux, l'exclusivité du rôle du héros, et le refuser aux femmes et aux affreux ? Pas de ségrégation.

Le duel avait lieu en scène. Les deux personnages, en collants sales, rampaient l'un vers l'autre longuement, essayaient de se redresser, se ramollissaient, s'écroulaient, et ne bougeaient plus. Alors Chimène, jouée par un Noir barbu, venait regarder les deux corps immobiles et disait doucement : « Papa est mort » en grattant ses cheveux papous. C'étaient les seuls mots du spectacle. Le texte de Corneille était remplacé par un enregistrement du marché au poisson, avec une phrase qui revenait toutes les trente-sept secondes : « J'ai du maquereau à trois francs cinquante, frais comme l'œil !... » Obsédante et tragique. La voix impitoyable du destin.

Pauline avait loué les services de quatorze anciens paras, mercenaires, gorilles présidentiels, avec pour unique mission d'empêcher Ali de s'approcher d'elle à portée de voix ou du regard. Ali appela Omar à son aide. Le vieux génie se manifesta sous les traits traditionnels d'une fumée sortant d'une bouteille, mais lorsque Ali lui demanda de neutraliser les gardes de Pauline, il matérialisa au milieu de la vapeur un visage coiffé d'un turban pour rappeler à son jeune maître que le traité international de Salomon, de l'an 1411 avant le Prophète, interdisait à tout génie d'user de ses pouvoirs à l'encontre d'un ressortissant d'un pays ami ou allié, client du pétrole.

Ali objecta qu'il ne s'agissait pas de leur faire du mal, mais de les neutraliser momentanément.

— Impossible, dit Omar. Je ne pourrais pas, même si je voulais. Notre pouvoir est fait de conviction intime. Rien de plus facile que de soulever une montagne si on est persuadé qu'on le peut. Mais si j'ai une crainte, un remords, un doute, c'est fini. C'est comme en amour. Un garçon de vingt ans devient pareil à un vieillard s'il sait ou s'il croit qu'on lui a jeté un interdit. Il commence à douter de lui, et il fond...

— Mais tu n'as plus vingt ans ! dit Ali.

— Merci à Dieu ! dit Omar. Dieu est le seul Dieu.

— Tu es sage et puissant. Si tu veux...

— Impossible ! dit Omar.

Et comme Ali insistait, suppliait, ordonnait, il fit « non, non » avec sa tête et son turban, et rentra dans sa bouteille.

En réalité, il aurait pu. Mais il obéissait aux instructions du Khalife qui lui avait dit :

— Laisse-le se débrouiller tout seul...

Et Ali se débrouilla. Comment n'y avait-il pas

pensé plus tôt ? Les chèques, ou même les bil-
lets de banque enduits de saleté et de microbes,
sont aussi puissants que les plus puissants génies.
Sur les quatorze gardes du corps, du corps tant
désiré de Pauline, treize se laissèrent acheter très
cher, le quatorzième ayant dû être transporté à
l'hôpital pour une appendicite chaude. Et Ali
se trouva enfin en face de sa bien-aimée, dans
sa chambre d'or, au septième étage de la tour
ronde qu'il lui avait fait construire au centre du
Rond-Point des Champs-Élysées, avec une auto-
risation spéciale du conseil municipal de Paris
qui lui avait coûté trois pétroliers de cinq cent
mille tonnes. Pleins.

Ce chef-d'œuvre, de style minaret, se composait d'une suite de pièces les unes au-dessus des
autres, avec des jets d'eau murmurants et des
perroquets, bien sûr, et des coussins et des tapis.

Pour cette entrevue, Ali s'était fait aussi beau
qu'il espérait pouvoir l'être. Il avait fardé ses yeux,
revêtu le costume de son pays en soie couleur de
sable ensoleillé, et coiffé un turban vert comme la
cime d'un palmier, qu'ornait, entre les yeux, un
rubis de trois livres. Il tenait dans sa main droite
une rose rose, juste arrivée d'Ispahan.

Quand il entra dans la chambre de Pauline,
il la trouva couchée à plat ventre sur un des
tapis précieux qui ornaient le sol, les coudes
à terre, le menton dans les mains, le nez sur
un livre : une édition allemande de l'œuvre

de Corneille. Brrojislav exigeait de ses acteurs qui n'auraient rien à dire qu'ils connussent par cœur le texte de toute la pièce, chacun dans une langue différente, pour donner au silence des personnages une dimension universelle. Pauline ne savait pas un mot d'allemand. C'était pour cela que Brrojislav avait choisi l'allemand pour elle. Le théâtre n'est pas une plaisanterie, une petite rigolade pour amateurs. C'est du travail, du travail, du travail. À force de travail et de décontraction, on obtient la sublimation de la non-communication, et alors tout devient possible, au plan primordial de l'humain.

Pauline était entourée d'une constellation de mégots dont certains avaient fait des trous dans le tapis de deux mille ans. Au centre des mégots et des trous elle était couchée sur le ventre, nue, le menton dans les mains, lisant à mi-voix, avec une prononciation personnelle, une suite horrible de mots dont elle savait ce qu'ils voulaient dire sans connaître leur signification. Elle saurait son texte, elle le saurait, elle le saurait ! Pas de problème. Elle ne s'était pas peignée depuis quinze jours. Il y avait des mégots, aussi, dans les boucles emmêlées de ses cheveux noirs.

Elle n'avait pas entendu entrer Ali. Elle continuait de lire. Elle travaillait. Elle était consciencieuse. Ali fut ému jusqu'aux larmes à la vue de son petit derrière. Il s'agenouilla près d'elle et improvisa à haute voix une nouvelle strophe à son poème :

Ton derrière est comme les deux moitiés de la Lune
Ton devant...

Au son de la voix d'Ali prononçant le nom de son derrière, Pauline se retourna comme s'il l'avait brûlé.

— Vous ! Comment êtes-vous entré ?

Ali fit avec sa main qui tenait la rose un geste vague qui voulait dire « Peu importe... ».

— Je t'aime et j'entrerai partout où tu es...

Elle se leva et lui montra la porte :

— Moi, je ne t'aime plus et je te prie de sortir ! Tout de suite ! Compris ?

Non, il ne comprenait pas, il ne pouvait pas comprendre une chose aussi absurde et monstrueuse. Il lui donna sa rose qu'elle foula sous ses pieds nus parmi les mégots. Elle ne fut pas piquée au talon parce qu'il en avait retiré les épines. Il la supplia, rampa sur le sol comme il lui avait vu faire dans les lavabos, il prit le téléphone et en trois minutes lui acheta le château de Chambord et Saint-Tropez tout entier, avec un aérotrain pour aller de l'un à l'autre. Elle continuait de lui montrer la porte.

Alors, naïvement, il revint à l'essentiel : il déroula les quatorze tours de sa ceinture de soie et d'or, pour libérer son pantalon bouffant et lui montrer son amour qu'elle avait tant aimé et qui tendait vers elle un bras superbe et suppliant.

Ce fut en vain. Elle n'en voulait plus, elle ne voulait même plus le voir, cachez-moi cette horreur, vous n'avez pas honte ? Elle ne voulait plus rien voir de lui, plus rien recevoir, plus de diamants, plus de châteaux, plus de trains aéro-dynamiques, elle en avait assez, assez, assez, c'est tout de même facile à comprendre, non ?

Il comprit. Il sortit de la chambre d'or. Il descendit les sept escaliers de cèdre. Il sortit de la Tour. Il traversa le Rond-Point, hors des clous, en diagonale, au moment du changement des feux. Les voitures qui n'avaient pas fini de traverser et celles qui commençaient de traverser se rejoignirent sur son corps. Omar l'avait heureusement, à la dernière seconde, transformé en pavé de granit, sous l'asphalte. Il le transporta directement de là dans sa chambre du Crillon où il avait dans le même temps rassemblé les plus belles filles des premières nuits. Elles s'emparèrent d'Ali en poussant des cris de joie et, cinq heures plus tard, il s'endormit d'un profond sommeil. Quand il se réveilla, il ne lui fallut qu'un instant pour se rappeler l'indifférence de Pauline. Il se leva, marcha jusqu'à la fenêtre, l'ouvrit, l'enjamba et se laissa tomber du haut du troisième étage sur la mosaïque du jardin. Omar le cueillit à mi-chemin et, ne voulant plus courir de risque, ne le lâcha plus. Ils se retrouvèrent ensemble, quelques instants plus tard, à Roissy, dans le Concorde, qui s'envola aussitôt.

Pendant qu'il survolait la Méditerranée, Pauline reçut une lettre bulgare de Brrojislav. Elle était manuscrite mais photocopiée. Chacun des interprètes du *Cid* avait reçu la même. Il leur fallut plusieurs jours pour obtenir une traduction et connaître la nouvelle : le metteur en scène, parvenu au sommet de son génie, avait décidé, après les décors, le texte et les spectateurs, de supprimer également les acteurs, restituant ainsi au théâtre, dans son dépouillement total, l'intégrité de ses virtualités.

On annoncerait les représentations, on publierait la distribution, on couvrirait d'affiches les murs de Paris. Et le lieu scénique resterait vierge. Les passagers du métro, passant à soixante à l'heure devant le quai vide de la station désaffectée, ne verraient rien et n'entendraient rien. Ils pourraient alors imaginer ce qu'ils voudraient, chacun à sa façon. Ainsi serait enfin réalisée la multiplicité simultanée du spectacle, qui n'avait jamais encore été atteinte. Et, s'ils n'imaginaient rien, alors l'inimaginable lui-même s'ajouterait à tous les possibles, dans la pénombre du quai désert.

Lorsque lui fut révélée la teneur du message, Pauline en fut d'abord bouleversée d'admiration. Puis il y eut un long moment où elle se trouva aussi vide et désaffectée que la station elle-même.

La troisième étape de son état d'âme fut une
réflexion raisonnable : c'était elle qui payait, elle
était en mesure d'exiger que sur les affiches son
nom fût le plus gros. Elle eut une discussion horrible avec Brrojislav, qui voulait que le nom le
plus gros fût le sien. Le génie, n'était-ce pas lui ?
« Et l'argent, c'est moi ! » répondait Pauline. Le
dialogue se déroulait en bi-langue. Brrojislav crachait des avalanches de rochers bulgares. Pauline
hurlait le Cri d'Anouilh. Ils se comprenaient.
Ils finirent par se mettre d'accord. Toutes les
palissades des Champs-Élysées, tous les murs
vacants de la capitale reçurent une immense
affiche rouge imprimée de leurs deux noms
égaux en énormes caractères noirs. L'imprimeur
avait réussi à loger entre les deux une ligne de
machine à écrire : *Le Cid*, de Corneille.

Un mot dans *Ardèle* avait valu à Pauline la
gloire. Son absence dans *Le Cid* en fit une star.
Hollywood la demanda. Elle refusa. Elle pouvait se le permettre. Rien n'était désormais sus-
ceptible de la faire tomber des cimes où elle
avait accédé. Elle méprisait le cinéma. C'était
une bête de théâtre. Elle accepta d'entrer à la
Comédie-Française. Elle joua Phèdre. Elle fut
sublime. On vint la voir du monde entier. Il avait
fallu lui faire une concession : à sa dernière sortie, au moment d'aller vers la mort, elle poussait
le Cri. Après en avoir conféré, l'administrateur

et le ministre avaient accepté, parce qu'il était signé Anouilh.

Aussitôt arrivé à Bagdad, Ali courut se jeter aux pieds du Khalife.

— Père ! lui dit-il, elle ne m'aime plus !... Je ne peux plus vivre !...

Haroun al Raschid regarda son fils gravement, lui dit :

— Allez donc distribuer les chocolats à vos mères, qui les attendent depuis si longtemps...

Ali fit trêve à son désespoir pour accomplir ses devoirs filiaux. Les chocolats avaient longuement moisi sous le hangar de Roissy, mais Omar leur rendit d'un mot toute leur fraîcheur.

— Omar, dit le Khalife, tu n'as pas bien veillé sur notre fils bien-aimé...

— Ô Seigneur des Croyants, j'ai fait de mon mieux, mais nous étions dans un pays étrange où les femmes sont libres et malheureuses, et les hommes instruits et stupides. Chacun fait le contraire de ce qu'il devrait faire pour être heureux, puis il accuse les autres de son malheur. J'avais beaucoup de difficulté à les comprendre, et peut-être, à un moment donné, ai-je été en retard d'une microseconde... Punis-moi, maître, mets le bouchon sur ma bouteille, et enferme-moi pour mille ans...

— Non, dit le Khalife. Tu n'y pouvais sans doute rien... Ali a attrapé une mauvaise maladie d'Occident. Ils nomment cela amour, et, comme tu l'as bien compris, c'est justement son contraire. Ils disent « Je te veux, je te prends, tu es à moi… ». Est-ce cela, aimer ? N'est-ce pas plutôt dévorer ? Et, lorsque la nourriture se sauve, ils croient qu'ils vont mourir d'inanition. Alors qu'il suffit de tendre la main…

— Quel est le remède à cette maladie, maître ? Dois-je aller le chercher ? Dis-moi où…

— Le temps, mon bon Omar, rien que le temps… Il faut laisser passer le temps…

Mais à mesure que le temps passait, Ali perdait du poids et des couleurs. Il semblait, effectivement, être en train de mourir de faim. Et comme cela n'allait pas assez vite, dans l'année qui suivit, il tenta cinq fois de se donner la mort. Omar, bien entendu, veillait et intervint. Mais même pour un génie, ce n'était plus une vie.

À la sixième fois, le Khalife prit une colère terrible. Il alla s'asseoir sur le trône de justice et fit comparaître Ali devant lui. De sa propre main il lui donna dix coups de canne, comme à un serviteur indigne, puis lui dit :

— Ô mon fils bien-aimé, toi mon préféré, toi que j'ai engendré avec les gouttes les plus précieuses de ma vie, voilà que tu me couvres de honte et que tu offenses Dieu à chacun des instants qu'il te donne…

— Il n'y a qu'un seul Dieu, dit la voix d'Omar invisible.

— C'est Dieu ! répondit Haroun al Raschid.

Ali restait muet. Prosterné devant son père, le front sur le tapis, il n'entendait rien et ne comprenait rien.

— Dieu, poursuivit le Khalife, t'a placé, comme chaque vivant, au centre de Sa Création. Le centre de l'Infini est partout. Il y a un centre pour chacun. Et autour de toi il a installé le théâtre permanent des joies et des merveilles et t'a donné les moyens de les savourer par tous les sens de ton corps et toutes les intelligences de ton esprit. Il t'a donné la lumière et l'ombre, la chaleur et le froid, le ciel bleu et la pluie, l'oiseau et le scorpion, la rose et l'épine... La rose sans l'épine ne serait qu'une pivoine, et dans la lumière sans l'ombre, tout l'univers serait plat. Or, voici que tu dédaignes les dons infinis de Dieu et que tu cherches à détruire la merveille des merveilles, ce corps si compliqué et si simple dans lequel il a logé ton âme pour qu'elle puisse jouir de Sa Création entre deux séjours dans Son Paradis. Et pourquoi ? Parce qu'un des grains de poussière qui composent l'infini s'est détourné de ton chemin... Aurais-tu perdu la raison ?

Ali ne répondit pas. Le front sur le tapis, les yeux fermés, il revoyait le petit derrière de Pauline au milieu de la constellation des mégots. Et toute la Création, pour lui, c'était cela. Et cela lui avait été arraché. Il était nu au milieu du néant et des ténèbres.

— Malgré tout l'amour que je te porte, dit le Khalife, je dois te punir.

Et il fit venir le bourreau.

C'était un colosse indifférent. Il exécutait ce qui lui était ordonné, sans plaisir ni répulsion, ni aucune méchanceté. Sur l'ordre du Commandeur des Croyants, il prit Ali dans ses bras énormes et l'emporta au centre du Jardin du Printemps. Là se dressait le Pavillon de Dentelle de Marbre, qui avait été construit par le grand-père d'Haroun al Raschid pour servir de résidence à toute femme du harem qui se fût trouvée mécontente de son sort. Il n'avait jamais servi.

Le bourreau déposa Ali au creux d'un sofa, sur la terrasse ombragée par des palmes, et se retira dans un coin, debout, immobile.

Devant le prince, c'était le printemps. Des fleurs de toutes formes et de toutes couleurs s'épanouissaient en extase, de jeunes faons ouvraient leurs lèvres vers les feuilles tendres qu'ils ne savaient pas encore goûter, des nuages légers naissaient, s'arrondissaient, s'évanouissaient dans le ciel bleu que parcouraient des vols d'oiseaux venus du reste du monde, les ruisseaux éclaboussaient de perles les primevères et les myosotis, des jeunes filles nues s'y baignaient jusqu'aux chevilles. Elles étaient roses. D'une main elles se cachaient la bouche et aussi parfois, de l'autre, le sexe, par délicate pudeur.

Haroun al Raschid, accablé de douleur, n'avait

pas quitté son trône depuis qu'il avait fait comparaître son fils. Quand vint le crépuscule il
demanda à voix basse :

— Omar, a-t-il regardé ?

— Heu… heu… dit une voix dans l'air trans-
parent.

— Omar, ne mens pas !

Il y eut un immense soupir, puis la voix d'Omar
dit :

— Non, maître, il n'a pas regardé…

À ces mots, des larmes coulèrent sur les joues
du Khalife et roulèrent le long de sa barbe, sur
les marches du trône et jusqu'au milieu du tapis
de trois mille ans.

— Alors, dit-il, que la punition commence…

— Oh maître ! maître ! non !… supplia Omar.
Mais le Khalife fit un signe, et sur la terrasse
du Pavillon de Dentelle de Marbre le bourreau
se mit en mouvement. Il tira de sa ceinture son
poignard aigu, s'approcha du prince et lui creva
les yeux.

Ali poussa un cri affreux, mais Omar délivra
son jeune maître de la souffrance. Le bourreau
le prit dans ses bras énormes et le transporta
dans une chambre intérieure, où il l'étendit avec
précaution sur des coussins, après l'avoir entièrement déshabillé.

La nuit s'approchait dans une douceur
bleue. Un rossignol se mit à chanter, un autre
lui répondit, un merle les persifla, et l'oiseau-

jaune-du-soir, l'oiseau-retroussé, l'oiseau-miel, l'oiseau-qui-rêve, l'oiseau-doucement-gong, l'oiseau-en-haut, l'oiseau-de-l'herbe, l'oiseau-lune chantèrent chacun leur chanson. Et elles ne se mélangeaient pas et ne se contredisaient pas, elles n'étaient pas ensemble mais chacune à sa place, et chacune avait la place qu'il fallait. La brise de la nuit passait sur les buissons dont les fleurs étaient closes et apportait les chansons dans la chambre du prince, à travers les mille dentelles du marbre comme elle l'avait fait pendant mille et mille nuits, et sous la douceur de ses doigts toutes les arêtes du marbre s'étaient arrondies.

Elle apportait aussi le tout petit rire des ruisseaux, et le rire léger des jeunes filles qui allaient s'endormir, un peu loin. Et, juste au pied du mur de dentelle, le bruit de la fourrure du ventre d'un faon qui touchait l'herbe en se couchant.

Elle apportait aussi le parfum de l'azalée orange et celui des jacinthes, et celui des jeunes feuilles de figuier, et l'odeur du cyprès toujours vert, et juste une goutte violette de violettes, et l'odeur transparente de l'eau qui court et mouille l'air.

Et le bruit très lointain, juste comme un souvenir, de la ville qui continue de faire du bruit quand elle dort.

À l'aube, quand s'éleva le chant du coq-qui-est-à-trois-kilomètres, le Khalife demanda :

— A-t-il écouté ?

— Euh… euh…

— Omar, je veux la vérité !

— Non, maître, il n'a même pas entendu…

— A-t-il senti ?

— Non, maître, il n'a rien senti.

— Mais peut-être dormait-il ? demanda le Khalife avec un brin d'espoir.

— Non, maître, il n'a pas dormi.

Alors des larmes coulèrent sur la barbe du Commandeur des Croyants, qui était toujours assis sur le trône de justice, et il fit un signe.

Le bourreau tira son poignard, entra dans la chambre du prince, lui coupa le nez et les oreilles et lui creva les tympans.

Dans la salle de justice, des larmes naquirent au milieu de l'air et tombèrent sur le sol. C'était Omar qui pleurait.

Des serviteurs apportèrent au prince du thé à la rose et de l'agneau rôti, un couscous léger comme un duvet de colombe, et du rahat loukoum, des cornes de gazelle et des gâteaux d'amande. Comme il n'y touchait pas, le Khalife supposa qu'il avait peut-être pris des goûts différents pendant son séjour à Paris, et lui fit apporter du foie gras, du homard thermidor, des endives meunières, une escalope de veau, des petits pois, une pomme Golden et un café liégeois.

Mais, au milieu de la deuxième moitié du jour, le prince n'avait touché à rien. Alors le bourreau lui ouvrit la bouche et lui trancha la langue.

Le souffle d'Omar cicatrisa la plaie et ôta la douleur. La seule souffrance que ressentait Ali résidait à l'intérieur de lui-même : c'était le déchirement de l'absence de Pauline. Le monde qu'il ne pouvait plus voir, ni entendre, ni sentir, ni goûter ne lui manquait pas. Il l'avait déjà perdu en perdant la joie de le connaître, et en remplaçant l'élan universel par un seul regret.

Il pouvait encore toucher. La fine extrémité de ses doigts était capable de connaître les différences de deux grains de sel, l'intérieur de ses mains où des lignes dessinaient son destin pouvait savoir si le poli du chapelet qu'on y posait était celui de l'ambre roux ou celui de l'ambre blond. Un serviteur y mit un bouquet de feuilles fraîches. Il les rejeta. Une servante posa sur son ventre nu un chat persan endormi. Il le repoussa.

Une jeune fille qui se baignait sous la pluie d'une fontaine traversa lentement le soleil qui la sécha et la tiédit en lui laissant sa fraîcheur, entra dans la chambre d'Ali, s'agenouilla près de lui, lui prit les deux mains et les posa sur ses seins comme des oiseaux. Elles y restèrent un instant, ne les reconnurent pas comme étant les Uniques, glissèrent et tombèrent.

Alors le bourreau entra avec deux aides. Ils soulevèrent chacun un bras du prince, et le bour-

reau les trancha avec son sabre. Et les larmes
d'Omar cicatrisèrent les plaies et ôtèrent la
douleur.

Le prince restait étendu sur les coussins, indifférent à ce qu'il avait subi. Il ne mangeait ni ne
buvait, mais Omar le faisait vivre. Il passa deux
semaines sans se lever ni faire un pas. Alors le
bourreau lui trancha les jambes au-dessous des
genoux.

Ainsi Ali était-il devenu charnellement semblable à ce qu'il était en esprit depuis le commencement de son chagrin : mutilé de tous ses
sens et de tous ses membres, sauf le membre
masculin, dont la lance enfoncée en lui-même y
versait le poison d'un désir unique.

Toutes ses pensées venaient et revenaient
sans cesse vers sa peine et s'y déchiraient. Posé
sur les coussins, il n'était plus qu'un emballage
informe enfermant la douleur qu'il nourrissait
de lui-même et dont il se nourrissait.

Haroun al Raschid se leva du trône de justice,
mais les forces lui manquèrent. Ses jambes ne
pouvaient plus le soutenir, bien qu'il fût devenu
léger comme une feuille sèche. Il se fit transporter par Omar dans la Mosquée Blanche, se
prosterna et pendant douze heures prononça
le nom de Dieu en lui demandant pardon et
compassion pour son fils.

Une puce piqua Ali à la joue droite, près
du coin de la bouche. Il voulut se gratter mais

il n'avait plus d'ongles plus de doigts plus de mains plus de bras. Il s'en rendit compte, et s'en souvint. Parce qu'il ne pouvait pas la gratter, cette minuscule démangeaison devint insupportable. Il essaya de la lécher mais il n'avait plus de langue. Avec ses moignons il se traîna droit devant lui jusqu'à ce que sa tête cognât le mur. Il y appuya sa joue avec un soulagement indicible, frotta et frotta et frotta encore contre la douce peau du marbre l'endroit de la piqûre. Les délices envahirent sa joue et de là se répandirent dans son corps. Le marbre était frais, et il sut ainsi que c'était la nuit. Alors dans sa tête s'éveillèrent les chants des oiseaux et des ruisseaux et de l'herbe que ses oreilles avaient reçus et qu'il avait refusé d'entendre. Et les parfums s'éveillèrent à leur tour et emplirent sa poitrine. Il gonfla ses poumons et les vida et les gonfla encore et connut le bonheur de se sentir respirer et de le savoir. Il se dressa autant qu'il le put sur ce qui lui restait de jambes et avec tout ce qui lui restait de peau se colla contre les dentelles de marbre pour les sentir avec son front, avec ses joues, avec sa poitrine et avec son ventre. Il se roula de joie dans les coussins et sur la mosaïque au-dessous des coussins. Il sentait avec son dos et avec ses côtés et son ventre la soie et les broderies et les vernis des carreaux minuscules, et les petites langues, entre eux, du ciment. Il frappa le sol avec son front et remercia Dieu de l'avoir fait vivant pour le placer au centre de son univers, et de lui avoir donné un esprit pour le savoir. Il s'aperçut à ce moment que depuis la piqûre de la puce il avait oublié Pauline. Il se mit à rire et, en se ressouvenant d'elle, il souhaita qu'elle fût aussi heureuse que lui, quoi qu'elle fît.

Alors le miracle survint. Ce ne fut pas Dieu qui le suscita. Dieu ne fait jamais de miracle, car Sa création est parfaite, et ce qui est parfait n'a pas à être réparé. Un miracle est un phénomène naturel qui se produit tout seul quelque part lorsque s'y trouve réunie une assez grande quantité d'amour. En cet instant, Ali brûlait d'amour pour Pauline alors qu'il s'était jusqu'alors consumé de pitié pour lui-même. Il ne pensait plus : « elle est à moi, je la veux ici », mais : « elle est elle, qu'elle soit heureuse où qu'elle soit ». Il brûlait d'amour pour l'univers qu'il ne voyait plus et n'entendait plus. Il brûlait d'amour pour Dieu qui lui permettait de se souvenir d'avoir vu et entendu, et pour lui avoir laissé la joie de respirer et de le savoir, la joie de sentir son propre poids sur son ventre et sur sa poitrine contre le sol, et la fraîcheur des petits carreaux de mosaïque contre son front et ses joues. Il brûlait d'amour pour la puce. Il se souvenait de son père et du bourreau et les remerciait de l'avoir arraché à la nuit pour l'amener à la conscience et à la lumière.

Alors, parce que ne demeurait plus en lui la

moindre trace de regret, d'amertume, d'insatis-
faction, de douleur imaginaire, parce qu'il était
devenu une fontaine de joie, tout ce qui avait
été enlevé à son corps lui fut rendu.

Le jour se levait. Le coq-qui-est-à-un-kilomètre
chantait pour la septième fois. Le Commandeur
des Croyants, prosterné dans la Mosquée
Blanche, se releva sur ses jambes légères, transporté par le bonheur. Il sut que ses heures maintenant seraient courtes, mais qu'un fils enfin
adulte allait lui succéder à la tête de l'Empire
pour y faire régner, autant que cela fût possible,
la sagesse et la paix.

Omar, soulagé et épuisé, s'endormit pendant
trois secondes, pour la première fois depuis dix
mille ans.

Ali, nu dans sa splendeur, sortit du Pavillon de
Dentelle et fut reçu par le soleil levant. Tous les
oiseaux du matin se mirent à chanter. Les jeunes
filles roses qui se baignaient dans les ruisseaux
jusqu'aux chevilles devinrent plus roses encore,
et se cachèrent la bouche à deux mains. Il n'y a
qu'un seul Dieu, c'est Dieu.

Les enfants de l'ombre

En ce temps-là, une douce rivière coulait des monts d'Auvergne vers les plaines du Bourbonnais. Elle commençait en torrent maigrelet, prenait de la taille et de l'aisance jusqu'à ressembler à un fleuve moyen de région tempérée. On la nommait l'Allier. Les gens instruits, qui possédaient leur certificat d'études encadré au-dessus de la tête de leur lit, lui attribuaient le genre masculin, mais les simples ne se trompaient pas, et parlaient d'elle comme d'une fille. L'été, quand elle reflétait le ciel bleu pâle, elle avait l'air d'une bergère couchée parmi les fleurs et les herbes. Elle aimait les adolescents vierges, imprudents, qui ont les membres graciles et le ventre à peine fleuri. Chaque année elle en ravissait quelques-uns, elle les gardait longtemps dans son lit. Elle ne les rendait qu'après avoir tout tiré d'eux, elle les déposait doucement sur une berge de sable, nus, les yeux ouverts, les mains abandonnées, la bouche close.

À l'automne, elle poussait un ventre de matrone et gémissait ses douleurs. Les riverains dont elle écrasait les prés en se retournant juraient sur elle : « La garce ! Al' est encor' grosse ! » Ils la connaissaient bien.

À l'endroit exact où elle quitte l'Auvergne pour entrer en Bourbonnais, une petite ville s'était posée sur sa rive et demeurait là, s'arrondissait au cours des siècles. Son nom était Chussy et celui de ses habitants Chussyssois.

Ce nom étant difficile à prononcer, surtout après boire, on préférait leur donner celui de Bisons. Nul ne savait d'où avait surgi cette appellation. Peut-être le fondateur de la ville était-il un Indien d'Amérique, ramené par Christophe Colomb, et son nom de guerre s'était-il étendu à ses concitoyens et leurs descendants. C'est une hypothèse. Nous connaissons mal, en Europe, les mœurs et le caractère des bisons. Ce ne sont pas, en tout cas, des animaux féroces. Et les habitants de la petite ville, qui portaient leur nom, se montraient en effet plutôt doux, et souvent rondelets, mais en général plus intelligents qu'un bœuf. On en jugera par l'industrie qu'ils pratiquaient. Un jour, Mme de Sévigné, passant par là alors qu'elle venait de retourner les foins en batifolant dans une prairie, but de l'eau d'une fontaine et s'aperçut avec étonnement que cette eau était tiède et qu'elle pétillait. Mme de Sévigné en fut enchantée, et écrivit quelques lettres à

Mme de Grignan pour lui expliquer comment
cette eau miraculeuse l'avait sur-le-champ guérie
d'un grand nombre de maladies. Aussitôt, du
monde entier, les malades accoururent à Chussy.
Ils assiégèrent la fontaine et eurent tôt fait de la
réduire à sec. Les Bisons, comprenant quel parti
ils pouvaient tirer de cette affluence, creusèrent
sous la ville d'immenses souterrains qui s'éten-
daient fort loin dans la campagne, et captèrent
toutes les eaux de la région. Et la moitié de la
population du pays passait son temps sous terre,
les femmes entretenant les feux de bois pour
chauffer l'eau, et les enfants soufflant dans les
tuyaux pour la rendre gazeuse.

Comme c'était une opération fastidieuse, un
Bison artiste inventa de percer des trous dans
les tuyaux, pour les transformer en instruments
de musique. Et les enfants de la ville jouaient
du matin au soir, chacun pour soi, la musique
fraîche de son cœur, ce qui faisait couler, à la
surface, l'eau pétillante avec des éclats de rire et
des langueurs, et rendait rêveuses les femmes de
trente ans qui tendaient leur verre aux fontaines.

Plongés dans l'obscurité, les garçons et les
fillettes prenaient des yeux très grands et très
clairs, qui leur permettaient de voir tout ce qui
s'enfuit à la moindre lueur. Dans les souterrains
perdus sous les collines, les grottes immenses où
leurs soupirs se multipliaient en chants d'orgues,
au bord des lacs endormis dont l'eau enfermée

au premier jour du monde n'a jamais connu la lumière que Dieu créa, les enfants découvraient des prairies de fleurs qu'on ne peut toucher, des trésors de gemmes aux luisances imperceptibles, des animaux furtifs aux ailes repliées, des fresques de chevaux galopants peintes en traits de nuit sur des murs de ténèbres. Dès que les fillettes devenaient filles, on les mettait au service des feux, leurs yeux reprenaient les dimensions des yeux de femme, se teintaient de couleur bleue ou brune, et ne pouvaient plus rien découvrir dans les caves perdues, que la peur. Les garçons, quand ils abordaient l'âge bête, étaient renvoyés à la surface et enfermés dans des collèges où ils devenaient, en peu de temps, médecins ou hôteliers pour le service des buveurs d'eau. Une grande prospérité régnait dans la ville. Le roi de Chussy, qui percevait une dîme sur chaque franc touché par un de ses sujets, gagnait chaque année des milliards. Mais il n'en profitait pas, il avait le foie malade, il était maigre et chauve et perdait ses dents, son médecin lui interdisait de sortir après huit heures du soir, il ne mangeait qu'un macaroni et un œuf à la coque, dans un coquetier enrichi de diamants, avec une cuillère en or.

Quand arrivaient les premiers froids, tous les malades s'en retournaient chez eux, aux quatre coins du monde, les Chinois, les Arabes, les Américains, les Lapons, les Parisiens, tous.

Quelques Bisons médecins émigraient aussi, suivaient les malades à la trace, quelques hôteliers transportaient pour six mois leur hôtel dans les grandes villes ou les pays de climat chaud où les touristes et les hommes d'affaires venaient reprendre une bonne dose des maladies qu'ils iraient soigner à Chussy l'été suivant. Mais la plus grande partie des habitants de la petite ville restait sur place, et s'ennuyait. On éteignait les feux, fermait les robinets, et tout le peuple du sous-sol remontait à la surface. On prenait grand soin de préserver les enfants de la lumière. On les gardait dans des pièces closes d'où le moindre reflet était banni. Ils restaient là tout l'hiver, enfermés avec les livres dont ni lettre ni dessin n'avait souillé les pages, et qu'ils ouvraient n'importe où pour trouver la suite de l'histoire, avec des instruments de musique muets, car le concert des souterrains eût rendu en surface la ville insupportable, mais dont ils savaient entendre les accords de silence, aussi bien qu'ils voyaient les formes et les couleurs inimaginables du noir. Ils avaient emporté avec eux les lacs lourds et les grottes dont la voûte pleure une goutte qui fleurit avant d'atteindre le sol, et les chevauchées des grands guerriers muets chargés de trésors ruisselant hors des coffres, et l'amitié des êtres de nuit dont la présence n'est qu'une caresse devinée. Les murs, au lieu de limiter leur monde, l'agrandissaient jusqu'à l'infini des ténèbres. La plus faible lumière eût fait surgir des limites.

Dans les appartements, à côté de la pièce close qui contenait les enfants ravis, les adultes traînaient leur temps dans le gris de l'hiver ou à la lumière des lustres électriques en simili fer forgé ou en bois tourné.

Ils s'ennuyaient. L'été, leur travail ne leur en laissait pas le loisir, mais pendant les mois morts, ils n'avaient rien d'autre à faire qu'à bien regarder la réalité avec leurs yeux auxquels rien ne la cachait plus : les doubles rideaux lie-de-vin aux fenêtres, serrés à la taille par la cordelière à glands ; la table à rallonges de la salle à manger ; le buffet en chêne sculpté, avec, à l'intérieur, le service à liqueur dont on ne se sert jamais, ses petits verres posés à l'envers autour de la carafe triste au fond de laquelle il reste quelque chose ; le salon où l'on n'entre pas l'hiver parce qu'il y fait froid, l'été parce qu'on n'a rien à y faire, son tableau accroché au mur en face de la porte entre deux fauteuils : c'est un bouquet de fleurs dans une potiche, jamais davantage épanouies, jamais fanées ; le lit cosy en contreplaqué de palissandre ; la lampe de chevet à l'abat-jour à tranches orné d'un ruban ; l'armoire galbée, avec sa glace froide au milieu, et, dans cette glace, quand ils se déshabillent, les poils des jambes au-dessous du petit caleçon dont la braguette laisse passer un bout de chemise, ou le soutien-gorge qui est bien utile… Et leurs visages gris, leurs cheveux ternes, la barbe du soir, le rouge à lèvres qui s'est délavé au milieu de la bouche et épaissi dans les coins…

Pour se distraire, ils avaient tout essayé. Ils organisaient des bals, des fêtes folkloriques, des concours de manille et de bridge, des représentations de chefs-d'œuvre, des surprises-parties et même des orgies où ils occupaient plus la table que les canapés, ils écoutaient la T.S.F., assistaient aux rencontres sportives, lisaient des romans policiers, comptaient leur compte en banque, collectionnaient les timbres, emplissaient les grilles des mots croisés. Mais cela n'emplissait pas leur temps.

Ils épiaient leurs voisins, guettaient la croissance et l'interférence des adultères, en imaginaient de faux, envoyaient des lettres anonymes, allaient à la messe, donnaient des fêtes de charité, adoptaient une ville ravagée par la guerre. Mais cela n'emplissait pas leur temps.

Ils fondaient des partis politiques, se battaient aux réunions contradictoires, couvraient les murs d'affiches diffamatoires, subventionnaient des journaux porteurs d'insultes, se provoquaient en duel, buvaient l'apéritif, détrônaient leur roi et le retrônaient. Mais cela n'emplissait pas leur temps.

En vérité, ils portaient en eux le regret des ans où ils étaient des enfants aux yeux clairs, où la réalité visible ne bornait pas leur univers, où toutes les aventures étaient possibles. Mais aucun d'eux n'aurait osé se l'avouer. Les enfants ne sont que des enfants.

Or, advint une époque où le monde, par génération spontanée, donna naissance à des monstres. Il y eut dans le même temps un serpent de mer en Méditerranée, un diplodocus dans un lac d'Écosse, un poisson au bout de la ligne d'un pêcheur parisien près du pont Mirabeau, un âne volant dans le désert de la Sorbonne, une bête dans le Gévaudan, et un lycéen de quatorze ans gagnant de tous les prix du concours général. Cet hiver-là, l'Allier charria des glaçons, ce qui ne lui était pas arrivé depuis cent vingt et un ans, et prit un drôle de visage. Elle avait l'eau grise, traînassait des brumes verdâtres, grognait en passant sous les ponts, suçotait des arbres morts qu'elle avait déracinés dans le haut de son cours, injuriait ses rives, et parfois, leur jetait un crachat. Les Bisons reconnurent à ces signes qu'elle leur préparait quelque chose, qu'ils allaient enfin avoir de la distraction, et, fiévreux, attendirent l'événement. Il ne tarda pas.

Le seul adulte de la ville qui ne connût pas l'ennui se nommait Paul Day. Ses concitoyens préféraient l'appeler l'Artiste. Il dessinait, et gravait sur le bois de doux paysages du Bourbonnais, dont les collines sont comme des seins et des joues, des portraits de vieilles maisons édentées et de ruelles tordues de rhumatismes, et aussi, en visions pleines de fleurs et de licornes emmêlées, le peu de souvenir qui lui restât de ses explorations d'enfant dans les grottes perdues. Il en tirait pour son plaisir des épreuves sur papier d'Auvergne, d'un blanc livide et grenu comme la pierre de Volvic, ou sur du papier de Hollande épais, riche, blanc, comme un lys, ou sur du papier d'Annam pareil à une souple étoffe de soie écrue, ou sur du papier impérial du Japon qui luit à l'intérieur de lui-même comme de la nacre. Il essayait parfois d'en vendre, sans conviction et sans succès. Les Bisons préféraient les reproductions de tableaux, en couleurs, vendus par les Nouvelles Galeries : *Coucher de soleil sur la Méditerranée*, ou *Le Souper des cardinaux*. Si bien que, quelques années plus tard, pour gagner sa vie, il dut se mettre à fabriquer du savon. Et alors il commença à s'ennuyer, comme les autres. Mais c'est une histoire qui n'a rien à voir avec celle-ci...

Donc, un soir de ce temps dont nous parlons, Paul, qui s'en venait de faire des croquis dans la campagne, rentrait à Chussy à bicyclette. La nuit tombait. Il faisait froid. Pour gagner du temps, le tailleur d'images décida d'éviter le pont qui lui aurait demandé un long détour, et de franchir l'Allier sur la passerelle suspendue à deux fils, qui franchit la rivière au nord de la ville, et ne supporte que des poids légers : les enfants, les jeunes filles, les chats qui courent leur amour la nuit.

L'Allier, en ce lieu, est très large, et ressemble à un fleuve des pays inexplorés. Elle se divise en plusieurs bras, dont les uns roulent, impétueux, entre des berges qu'ils arrachent par morceaux, et d'autres s'endorment en marécages habités de bêtes rampantes. Des îles désertes, couvertes de buissons entrelacés ou de roseaux nourris de vase, occupent le milieu du lit. Quelques arbres immenses en retiennent la terre, de leurs racines plus fortes que les siècles. Ce soir-là, l'eau furieuse essayait d'emporter les îles, jetait à l'assaut contre elles des escadrons de glaçons livides, et grondait sauvagement de son échec. Paul, sa bicyclette à la main, s'engagea sur la passerelle et la sentit frémir sous son pied.

Bien qu'il pesât quatre-vingt-dix kilos – il était haut et large – il ne craignait pas, cependant, de la voir s'effondrer, car les images qu'il portait en lui le rendaient léger comme un enfant.

La nuit avait écrasé le jour, l'avait réduit en grisaille sombre, que perçait parfois, au ras de l'eau, un reflet mort sur un glaçon soudain dressé. Paul avait atteint le milieu de la passerelle. Suspendu dans les éléments mouvants, il ne distinguait plus les rives, il ne savait plus qu'elles existaient. Le vent et l'eau couraient dans le même sens et gémissaient des cris sans couleurs, et la passerelle, à leur vitesse, remon-

tait le fleuve, emportait son passager. L'herbe
des îles frissonnait, les branches tordues des
grands arbres déchiraient les brumes avec des
bruits de vols d'oiseaux.

À quelques centaines de mètres de là, pourtant, des maisons immobiles se dressaient, en
pierre et en briques et en ciment planté dans
la terre, et dans les maisons des femmes assises
tricotaient, et des hommes debout près du poste
de T.S.F. fumaient des cigarettes, une main dans
la poche et le veston déboutonné. Des hommes
et des femmes attendaient que le temps passe,
et s'ennuyaient.

Mais le graveur pensait à eux moins que
jamais, il plongeait dans le vent mouillé, il le
respirait et le mordait, il avait la goutte au nez et
les oreilles violettes, il voguait en pleine tempête,
il crachait l'embrun, à la proue de la caravelle,
vers le bout du monde.

Tout à coup, devant lui, une énorme masse
noire, qu'il n'avait pas aperçue, qu'il ne vit qu'au
moment où elle sauta, jaillit de la passerelle où
elle était sans doute couchée, et plongea dans
la nuit. La passerelle se détendit comme un
arc. Paul n'eut que le temps de s'accrocher à la
main courante. Sa bicyclette, projetée comme
une flèche, disparut. Il y eut en même temps
un énorme floc dans l'eau et un bruit terrible
de froissement et de cassure dans les hauteurs
des arbres. Quand la passerelle eut achevé son

tangage, Paul se mit à courir, déboucha sur la berge, s'engouffra dans le premier bar qu'il trouva sur son chemin, but une triple fine, reprit sa respiration, et dit : « Eh bien ! il vient de m'en arriver une drôle… »

Le lendemain matin, *Le Progrès des Bisons*, le quotidien du matin, publiait en première page un article de trois colonnes qui commençait ainsi :

« Hier soir, en traversant la passerelle, le cycliste Paul Day a rencontré un monstre… »

Derrière les facteurs qui déposaient le journal dans les boîtes aux lettres, les maisons se vidèrent. Quand ils eurent fini leur tournée, toute la population adulte de Chussy était réunie sur la rive de l'Allier. Hommes et femmes regardaient en l'air, regardaient dans l'eau, scrutaient la végétation frissonnante des îles. Paul Day n'avait pu dire s'il s'agissait d'un monstre aquatique ou d'un monstre ailé. Il l'avait à la fois entendu plonger et s'envoler. Bientôt, de bouche à bouche des précisions naquirent. Il était au moins gros comme un chien, comme un bœuf, comme un hippopotame. Il avait une, deux, quatre paires de cornes, des écailles, une queue de serpent, il rugissait, griffait, jetait de la fumée par les naseaux. On commença à trembler un peu. On ne pensait plus à s'ennuyer.

La journée se passa sans que le monstre réapparût. Mais au crépuscule, vingt personnes au moins le virent, en vingt lieux différents.

Le lendemain matin, un vieillard, qui avait la vue perçante, découvrit la bicyclette du graveur accrochée à la cime d'un peuplier d'une île. Parce qu'on ne l'avait pas aperçue la veille, on en conclut que le monstre l'avait transportée cette nuit-là sur ce perchoir, pour narguer la ville. L'après-midi, un pêcheur de brochet accrocha sa ligne à une souche pourrie qui flottait entre deux eaux, blêmit à sentir une telle résistance, releva lentement, péniblement sa canne courbée, vit apparaître un dos rond squameux, n'eut que le temps de tendre le doigt, de crier « Là ! » et mourut de peur, tandis que le tronc replongeait en emportant son attirail. Les témoins s'enfuirent, puis revinrent, sur la pointe des pieds, chercher la victime. Le soir, on barricada les portes. Dans les jours qui suivirent, sept femmes enceintes firent des fausses couches.

Le roi de Chussy s'était d'abord frotté les mains en apprenant la naissance d'un monstre. Pendant que ses sujets s'occuperaient de la bête, ils ne penseraient pas à malmener les ministres, à exiger des éclaircissements sur le budget, à mettre leur nez dans la politique extérieure, à réclamer des subventions et protester contre les taxes.

Mais quand les habitants de la ville commencèrent à trembler de peur, le roi, lui aussi, s'inquiéta. Il savait que, lorsque quelque chose ne va pas, les citoyens en rendent volontiers le gouvernement responsable, sans chercher le moins du monde à discriminer leur propre responsabilité. Le gouvernement est là pour gouverner. S'il gouverne bien, tout va bien. Si quelque chose va mal, c'est qu'il gouverne mal.

Au vingt-troisième jour de l'apparition du monstre, l'opinion publique lui avait attribué neuf victimes. Les morts un peu bizarres – et quand la mort ne l'est-elle pas, pour les vivants ? – et les disparitions pour fugue et banqueroute se trouvant bien plus faciles et plus passionnantes à expliquer par l'intervention de l'inexplicable. La dixième victime fut une vieille épicière coriace âgée de quatre-vingt-dix-neuf ans. La célébration de son centenaire devait être le clou de la saison suivante. Le président de l'Amicale des Épiciers et celui de l'Amicale des Anciens Épiciers et celui de l'Amicale des non-Épiciers, et celui de l'Amicale des clients d'Épiciers avaient déjà préparé leurs discours. Elle mourut bonnement dans son lit, après avoir dit : « Ben, ma foi... » Sans aucun doute le monstre avait voulu frustrer la ville de cette fête, et la pauvre femme des honneurs qui allaient lui échoir pour s'être si obstinément cramponnée. L'indignation, cette fois, submergea la peur. Un cortège, poussant des cris hostiles aux Pouvoirs publics, promena le corps menu de la défunte à travers les rues, et jusque sous les murs du Palais, à la lueur des torches électriques.

Le roi, seul devant son assiette au bout de son immense table, trois valets rouge et or rangés debout par rang de taille derrière le dossier sculpté de son fauteuil, écoutait la rumeur de la colère du peuple battre ses fenêtres. Il réfléchit longuement. Il laissa refroidir son macaroni. Il fit appeler son Premier ministre.

Le lendemain matin, des petites affiches blanches timbrées de deux drapeaux entrecroisés apprenaient aux Bisons que leur souverain avait décrété la mobilisation générale.

Les adultes mâles, redressant le torse, un refrain d'héroïsme aux lèvres, gagnèrent leurs dépôts, après avoir garni leurs musettes de saucisson et de vin rouge. En deux mois, l'armée fut prête. Les sapeurs creusèrent des tranchées sur la rive de l'Allier ; dans les nuits glacées, les fantassins prirent la garde aux créneaux. Les femmes tricotaient des passe-montagnes ; les petites annonces du *Progrès* réclamaient des marraines de guerre ; le ministre des Finances leva un nouvel impôt.

Le monstre, intimidé sans doute par ce déploiement de forces, ne se manifestait plus que par des bruits nocturnes, de grands remous d'eau, des bris de glaçons, de brusques froissements des roseaux des marécages. Les artilleurs occupaient les bistrots de l'arrière, et les aviateurs, entre deux vols hardis au-dessus de la passerelle, consolaient les épouses esseulées. Les fantassins commençaient à avoir froid aux pieds et à trouver le temps long.

Le chef des armées, ayant enfin mis au point son plan d'offensive, communiqua ses ordres secrets à ses subalternes. Il y eut un grand remue-ménage. Les unités stationnées au sud vinrent au nord, celles qui étaient au nord vinrent au sud, et celles du centre réoccupèrent leurs propres positions après une marche de soixante kilomètres. Le jour J, à l'heure H, toutes les forces de terre, de rivière et de l'air partirent ensemble à l'attaque. C'était un peu avant l'aube, comme il se doit.

Un déluge de mitraille s'abattit sur les îles cernées. Leur savane impénétrable prit feu en cent endroits. Les arbres millénaires se vêtirent de flamme. Le chêne de Charlemagne se tordit, craqua, reçut au pied trois obus brisants, hésita, chancela, et tomba en arrachant un morceau de ciel. Des torpilles fouillaient les profondeurs des eaux et jetaient vers les nuages des geysers de vapeur et de petits poissons. Des peuples d'oiseaux migrateurs, chassés de leurs refuges, les ailes en feu, traçaient des arabesques d'or dans la nuit finissante. Tout à coup, par-dessus les explosions, le fracas, la tempête, un cri effrayant éclata, un cri comme nul n'en avait jamais entendu ni même pu imaginer, un cri de stupéfaction, de douleur et d'horreur, qui ne semblait sortir d'aucune gorge, si monstrueuse fût-elle, mais de la rivière elle-même, de la terre avec ses herbes, ses animaux, son eau qui coule et son vent jouant, de la terre blessée et du ciel et des nuages horrifiés, et, en même temps, du cœur et de la tête de tous les hommes qui l'entendaient.

Le cri chassa en tempête les derniers lambeaux de la nuit, et les soldats épouvantés et les civils qui suivaient le combat des toits de leurs maisons virent que la passerelle légère, à ses deux fils pendue, était, d'un bout à l'autre, teinte de la couleur du sang.

Les enfants, dans leurs pièces closes, savaient tout ce qui arrivait dans la ville, et aussi ce qui n'arrivait pas et aurait pu arriver, et même ce qui était improbable. Ils savaient ce qu'apportaient les lettres avant qu'on les eût ouvertes, et aussi les lettres que jamais personne n'écrivait. Ils savaient ce que disait la foule, et les commères et les juges, et ils entendaient les conversations qui traversent les carrefours. Ils suivaient du doigt le vol des oiseaux et caressaient la douce taupe endormie dans son velours.

Le cri pénétra dans toutes leurs demeures, et ils éprouvèrent une grande pitié. Or, parmi eux se trouvait une petite fille, plus petite fille que toutes les petites filles de la ville. Nul ne l'avait jamais vue, et ses parents ne connaissaient d'elle

que sa voix, mais on savait qu'elle était vraiment
le trésor pur, le germe à la pointe de l'amande
dans le noyau du fruit à la plus haute branche.
Ses yeux étaient les plus grands et les plus clairs,
ses lèvres à la fois fraîches et tièdes, son front un
peu bombé, et ses cheveux coiffés à son désir,
parfois en deux longues nattes, parfois courts
et ondés, parfois ils emplissaient toute la pièce
close de leur soie silencieuse, et changeaient
de couleur selon ses pensées. Elle se nommait
Genête.

Quand le cri parvint jusqu'à elle, elle était
assise au fond du grand fauteuil, elle était en
train de parler avec quelqu'un que nous ne pou-
vons pas connaître parce que nous sommes bien
trop vieux, bien trop durs, nos os comme des
côtes de bœuf et notre peau en cuir. Elle hocha
la tête et dit : « Tu vois, comme ils sont… » Elle
voulait parler des hommes, et de tout ce qu'ils
ont oublié en croyant apprendre, et de la peur et
de l'ennui qui les rendent cruels. Elle se poussa
au bord du fauteuil, descendit, se tint immobile, droite, écoutant la plainte qui lui arrivait
à travers la terre et les murs. Le cri s'était tu, et
les adultes n'entendaient plus rien. Ils pensaient
qu'ils avaient fait exactement ce qu'ils avaient
voulu : ils s'étaient débarrassés du monstre, et
la guerre était finie. Ils éprouvaient bien, secrè-
tement, une sorte d'inquiétude. Ils n'avaient pas
trouvé le corps de l'ennemi. Ils se demandaient

si…, peut-être…, et qui ?… Mais la saison approchait, il était grand temps de se faire démobiliser. Le monstre ne reviendrait certainement pas pendant l'été. Les monstres ne se manifestent jamais quand on travaille.

Genête entendait la plainte : il suffisait de vouloir l'écouter pour l'entendre. Elle l'entendit tout le jour, elle n'entendait plus qu'elle. L'être qui se plaignait ainsi devait beaucoup souffrir, moins peut-être de la douleur de la blessure que de la pensée qu'on la lui eût faite. Et Genête, quand vint le soir, se dit qu'elle devait aller consoler ce blessé, et parce que cela devait être, et que cette pensée était si simple, la fillette n'eut pas besoin d'ouvrir une porte ou une fenêtre pour sortir. Elle marcha, et se trouva dehors. Et la nuit de la pièce close sortit avec elle et l'accompagna, pour la protéger contre l'obscurité pourrie qui croupit dans les rues des villes endormies, contre le regard vert des grands becs de gaz, et contre les lueurs qui se glissent sous les volets pour guetter les passants.

Genête marchait, vite, vite. Le bas de sa robe droite lui caressait les chevilles, et ses petits pieds nus ne déplaçaient pas un grain de sable. Ses cheveux la couvraient d'un manteau bien chaud. Elle arriva au bord de la rivière et s'engagea sur la passerelle. Elle fit quelques pas, et alors elle trouva celui vers lequel elle était venue. Il se tenait debout devant elle. Il l'attendait. C'était un garçon dont le corps était doux et lisse comme une statue de marbre longuement caressée par le sculpteur. Ses épaules étaient rondes et ses bras fins, sa taille droite et ses cuisses longues. Il semblait avoir froid et s'enveloppait à demi dans ses ailes. Il était de la même taille que Genête, et en même temps il était plus grand que le chêne. À son flanc gauche, une blessure ouverte saignait. Genête pinça les lèvres, de pitié, et hocha de nouveau la tête en pensant à ces hommes qui ne font que des bêtises.

Puis elle posa sa petite main, ouverte comme une fleur, sur la blessure. Et la blessure cessa de saigner, se ferma et disparut. Genête regarda le garçon et sourit. Elle était contente. Et le garçon sourit aussi. Il était content aussi. Ils se donnèrent la main et marchèrent vers l'autre bout de la passerelle. Mais avant d'y parvenir, le garçon se pencha et prit la fillette dans ses bras. Elle se sentit vraiment bien à l'aise contre sa poitrine. Un vent doux soufflait sur elle. Elle leva la tête, et entre les deux ailes blanches grandes ouvertes, pour la première fois, elle vit les étoiles.

Le lendemain matin, les parents de Genête surent qu'elle était partie parce qu'ils retrouvèrent dans le guichet de la pièce close son repas du soir auquel elle n'avait pas touché : un œuf en neige, et une noisette.

Béni soit l'atome

1

Les rescapés du B.312

Il existe, dans les familles, des affinités hérédi-
taires pour certains métiers. Valentin Durafour,
dont le père avait conduit des autobus dans Paris,
poursuivait à peu près le même travail. Pilote à
la S.T.C.N.P. (Société de transports en commun
New York-Paris), il couvrait régulièrement ses
dix allers et retours par jour, et espérait arriver
sans histoires à l'heure de la retraite. C'était un
métier de tout repos. En vérité, le pilote n'était
guère plus qu'un figurant. Le contrôleur, lui,
assumait des responsabilités, et abattait de la
besogne, oui. Avec sa petite boîte sur le ventre, il
devait demander à chaque voyageur son ticket et
l'oblitérer – crrrr… – dans un bruit de crécelle.
Aux heures d'affluence, à la sortie des bureaux

et des ateliers, quand les travailleurs parisiens regagnaient leur pavillon de la banlieue de New York (ils préféraient habiter l'Amérique, c'était toujours plus confortable), ce n'était pas une sinécure de s'acquitter de ce travail, surtout en deuxième classe, avec tous ces gens debout entre les sièges, qui se marchaient sur les pieds.

Pendant ce temps, le pilote demeurait bien tranquillement assis dans sa petite cabine. Au coup de sonnette du contrôleur, il appuyait sur le bouton qui bloquait les portes étanches, puis il embrayait. Après, en somme, il n'avait plus à s'occuper de rien. Le stratobus démarrait doucement, pas plus de deux mille à l'heure au-dessus de Paris, sortait des couches basses de l'atmosphère, prenait alors toute sa vitesse sous l'effet de ses moteurs à réaction, et arrivait en vue des côtes américaines en moins d'une demi-heure. Du départ à l'arrivée, envol et atterrissage compris, il était conduit, contrôlé, surveillé, couvé pourrait-on dire, par des appareils automatiques de bord en liaison avec des appareils à terre. Il ne pouvait pas plus s'écarter de sa route que le métro de ses rails.

Le seul inconvénient du métier de pilote, c'était qu'il s'ennuyait. Valentin Durafour, lui, pour passer le temps, tricotait des layettes en nylon mousseux, inusable. Ça le distrayait, si haut-dessus des nuages, et ça lui faisait un petit supplément de revenu.

Il y avait longtemps que les compagnies américaines avaient supprimé ces employés inutiles à bord de leurs appareils, mais en France on continuait d'être, comme toujours, un peu en retard. Les Français, si facilement héroïques quand il s'agit de donner leur vie pour rien, tiennent à ce qu'on veille sur elle quand ils paient. Et ils s'imaginaient puérilement être plus en sécurité avec un pilote qui ne servait à rien, que sans pilote. C'était une douce survivance de l'esprit petit-bourgeois.

Comme nous allons le voir, ce fut pourtant à cet attachement aux usages du passé que le monde dut d'être sauvé, sinon de la destruction totale, tout au moins de la barbarie définitive.

Ce matin-là, donc, Valentin Durafour et son bus, descendant à vitesse réduite vers New York, s'apprêtaient à atterrir. Ils n'étaient plus qu'à seize mille mètres d'altitude, et les voyageurs placés près des fenêtres, heureux de revoir la terre, regardaient monter vers eux le damier de la ville, quand, tout à coup, New York se souleva, s'embrasa, fleurit en une gigantesque fleur sphérique de flamme et de fumée, qui se mit à pousser à une vitesse vertigineuse vers le soleil.

L'éclair de lumière avait été si intense que lorsque le pilote et les voyageurs, après avoir fermé les yeux par réflexe de défense, les rouvrirent, ils ne virent plus qu'un essaim de papillons noirs voletant devant leurs rétines violentées.

Tous avaient compris, tous. C'était une explosion atomique. Guerre ou accident ? Chacun espérait : accident, et tout le monde craignait : guerre.

Il n'y eut aucune panique. Le cas était prévu, bien qu'il ne se fût jamais produit : si les appareils au sol venaient à cesser de fonctionner, le stratobus reprenait automatiquement de la vitesse et de l'altitude et se mettait à tourner en rond à trente mille mètres jusqu'à ce qu'il fût de nouveau happé par le contrôle.

Valentin Durafour n'eut même pas à intervenir. Son véhicule, qui portait le numéro B. 312, releva le nez, et monta à la vitesse d'une comète vers l'azur, échappant de justesse au singulier bourgeonnement qui venait de réduire l'immense cité à un simple mélange de ciment pulvérisé, de chair vaporisée, de débris cuits et tire-bouchonnés.

Si rapides que fussent ses réflexes, jamais le pilote n'aurait pu changer de cap aussi vite, et le véhicule et ses passagers, quelques dixièmes de seconde plus tard, seraient entrés tout droit dans l'enfer. L'automatisme immédiat de la machine avait été leur salut.

Le B. 312 se mit donc à décrire un immense cercle, à trente kilomètres d'altitude, et de là-haut, car le temps était clair, les passagers purent se convaincre qu'il s'agissait bien de la guerre, et non d'un accident. Ils virent en effet s'élever, sur tous les horizons, d'autres champignons incandescents, qui tournoyaient sur eux-mêmes, découvraient leur cœur de flamme blanche, se gonflaient et s'épanouissaient en parasols de fumée et de poussière.

Valentin Durafour décrocha le téléphone, et, pour acquit de conscience, mais sans espoir, appela New York. Il ne restait de New York qu'un nuage que le vent commençait à effilocher, et New York, bien entendu, ne pouvait pas répondre. Alors le pilote, le cœur serré d'angoisse, appela Paris, et Paris, puis Londres, Moscou, Berlin, Nankin, Sydney restèrent silencieux. Il appela vingt autres villes. Il obtenait, d'habitude, la communication en quelques secondes, le temps de faire le numéro sur son cadran. Aucune ville ne répondit.

Derrière lui, penché sur lui, le contrôleur, blême, une main sur la boîte accrochée à son ventre, l'autre appuyée sur le dossier du siège de pilotage, tendait l'oreille, essayait d'écouter la réponse qui ne venait pas. Il répétait de temps en temps deux mots entre ses dents, deux mots qui disaient tout ce qu'il éprouvait :

— Mes gosses… mes gosses…

Qui avait commencé la guerre ? Aucun des survivants de la catastrophe ne le sut jamais, ni même ne le supposa, tant la vérité était peu facile à deviner.

Au lendemain de la Deuxième Guerre mondiale, les États-Unis, qui avaient essayé la bombe atomique sur le Japon, continuèrent d'en fabriquer. On pouvait craindre que ces bombes servissent un jour à autre chose que la chasse aux petits oiseaux. Aussi la Russie, puis d'autres nations, se mirent à chercher le secret de sa fabrication, et le découvrirent. Ce fut bientôt le secret de Polichinelle, et les bombes s'entassèrent, pendant que les délégués des nations à l'O.N.U. proclamaient, d'ailleurs avec sincérité, leur amour de la paix. Les hommes n'étaient plus maîtres de leur destin. Chaque nation avait peur des autres, peur d'être attaquée la première, peur de ne pas pouvoir répondre, et fabriquait, fabriquait les petites bombes. Les procédés de projection des bombes par fusées à réaction et de guidage par radar furent mis au point sans difficultés, et les spécialistes de tous les pays du monde installèrent les fusées sur leurs affûts, prêtes à partir, chacune réglée d'avance, pointée vers un objectif précis, qu'elle ne pouvait manquer. Un système de déclenchement automatique y fut ajouté. Le premier projectile qui approcherait d'un territoire armé provoquerait le départ immédiat des projectiles adverses. Ainsi, une nation qui prendrait la responsabilité de commencer la guerre subirait aussitôt la riposte, même si son bombardement détruisait tout chez l'ennemi, car celui-ci, avant de disparaître, aurait vu s'envoler ses propres engins de mort. La fabrication des explosifs atomiques avait été si perfectionnée, si simplifiée, et prit une telle cadence, qu'il n'était pas une ville des grandes nations, pas une de leurs agglomérations un peu importantes, vers qui ne fût braquée une de ces torpilles.

L'effroyable menace qui pesait sur l'humanité faillit provoquer une folie générale. Au cours d'une séance mémorable du conseil de l'O.N.U., un accord intervint enfin. Certes, il ne s'agissait pas de désarmer. Il eût fallu pour cela que quelqu'un commençât, acceptât cette humiliation et ce risque. Il n'en était pas question. Mais chacune des grandes nations se résigna à laisser garder ses batteries de départ par des représentants des autres nations. L'échange des surveillants se fit simultanément. Ils arrivèrent ensemble à leur poste, à la seconde S de la minute M de l'heure H du jour J. Ainsi, personne ne perdit la face. Ce fut la naissance du C.I.V. (Corps International des Veilleurs). Désormais, auprès de chaque rampe de départ, des gardiens des cinq principales puissances se relayèrent, veillant à ce que nul, jamais, ne fît partir le premier des engins infernaux. C'était une solution absurde, mais les hommes communs qui cherchent humblement et simplement à vivre trouvèrent que c'était déjà très beau. Ils commencèrent à respirer, à sourire. Ils imaginèrent que, peut-être, un jour, les gens sérieux

qui mènent le monde et qui savent les choses
se mettraient enfin d'accord pour détruire ces
monstres au lieu de les surveiller. La joie succéda
à l'angoisse, enfla, devint délirante. On dansa,
on chanta, on se jeta dans les plaisirs avec une
avidité qui masquait la survivance d'une peur
qu'on préférait écraser sous les rires plutôt que
l'avouer. Chacun, au fond de soi, conservait
cette pensée de stupide bon sens : tant que les
bombes existent, elles peuvent servir.

Ce fut bien, en effet, ce qui arriva.

Il existait une petite nation, très pauvre, au
sein des montagnes, qui était neutre depuis
toujours, qui n'avait jamais fait la guerre à
personne, qui ne fabriquait que des jouets en
bois, qui ne possédait aucune industrie, qu'on
avait jugée si peu dangereuse, si misérable, si
insignifiante, qu'elle ne faisait même pas partie
de l'O.N.U. Or, il se trouva, dans ce pays, un
homme assez fou pour croire que l'heure était
venue pour sa patrie de dominer le monde, et
assez exalté pour convaincre quelques-uns de
ses compatriotes. Son plan était simple. Les
procédés de fabrication de la bombe étaient
connus. Ils figuraient dans les manuels à l'usage
du baccalauréat. On se procurerait facilement
un peu de matière première. Les chutes d'eau
fourniraient l'énergie nécessaire. On ferait vite.
Avant que le secret du complot ait pu transpirer,
une seule fusée atomique, cela suffirait, partirait

vers un objectif situé sur le territoire d'une des
grandes puissances. Elle provoquerait le départ
de toute la charmante artillerie braquée vers le
zénith et les grandes nations s'étant mutuelle-
ment exterminées, il ne resterait plus au petit
peuple montagnard, si longtemps et injustement
confiné dans ses étroites frontières, qu'à s'établir
sur les dépouilles des puissants, à s'y multiplier
et à y prospérer.

Une fois de plus, donc, le monde se trouva à
feu et à sang par la faute d'une petite nation,
mais cette fois-ci c'était l'agneau qui était devenu
loup.

Les passagers du B. 312, selon leurs nationalités ou leurs opinions, accusèrent divers pays
d'être à l'origine de la guerre. Des discussions
puis des disputes s'élevèrent et il s'en fallut de
peu que le stratobus ne devînt le théâtre d'un
conflit général, à l'image réduite de celui qui se
déroulait à trente kilomètres au-dessous de lui.

Heureusement, le sentiment de la précarité de
leur sort, et de leur solidarité devant l'angoissant
avenir qui les attendait, calma l'humeur même
des plus irascibles et un calme accablé régna
bientôt à l'intérieur du véhicule.

Il y avait de tout, parmi les trois cents personnes que le B. 312 promenait au-dessus des
nuages : des commerçants, des ouvriers, des
ménagères qui étaient parties faire une course
en laissant le gaz allumé sous leur pot-au-feu,

des employés, des étudiants, et il y avait aussi le professeur Coliot-Jurie, grand spécialiste de la physique atomique, qui allait faire son cours à l'Université de New York avant de revenir déjeuner dans son appartement du boulevard Saint-Michel. Sa jeune autorité, le respect qui entourait son nom firent que les voyageurs, lorsqu'ils eurent connaissance de sa présence à bord, se tournèrent tout naturellement vers lui pour le charger de trouver une solution à leur sort.

Le stratobus, mû par des moteurs à réaction atomique, possédait près de deux litres de carburant, c'est-à-dire de quoi tenir l'air indéfiniment. Mais s'il y avait de quoi alimenter les moteurs, il n'en était pas de même pour les passagers : quelques sandwiches au buffet, et une centaine de flacons de boissons diverses. C'était tout. Il fallait penser à revenir vers le sol, à atterrir. Mais où ?

Le professeur Coliot-Jurie s'installa près de Valentin Durafour. Celui-ci prit en main les commandes directes, dont il ne s'était jamais servi. Mais il connaissait bien la théorie de son métier, et c'était un homme adroit. Après quelques cabrioles, le B. 312 s'arracha à son cercle automatique, prit la tangente, et fila droit devant lui.

Le stratobus fit sept fois le tour du globe, à la recherche d'un coin de paix. Les voyageurs, entassés derrière les fenêtres, ne virent qu'un immense nuage tourmenté, creusé de gouffres noirs, agité de tempêtes, qui semblait couvrir le monde entier. Au-dessus de l'hémisphère plongé dans la nuit, ce nuage était parfois éclairé de lueurs pourpres ou violettes, ou illuminé par d'immenses éclairs. Des remous terribles secouaient l'appareil.

Coliot-Jurie, penché sur une carte, réfléchissait. Depuis quelques années, une expérience était en cours au nord du Groenland. On avait réchauffé une vaste région polaire, au moyen de générateurs caloriques à désintégration profondément enfoncés dans le sol à des endroits choisis. Sur ces étendues arrachées aux glaces éternelles, toutes les cultures des régions tempérées avaient été acclimatées et donnaient des primeurs d'une rare qualité, qui profitaient à la fois d'un sol vierge et de l'éclairage rationnel qui remplaçait pendant six mois le soleil défaillant. Des paysans de toutes les nationalités, abandonnant les vieux continents épuisés, avaient émigré vers ces terres nouvelles, mais on ne s'était pas encore préoccupé d'extraire les richesses du sous-sol. Aucune industrie ne s'y était installée. Il demeurait quelque chance que ce coin du monde fût resté à peu près intact, aucun des belligérants n'ayant sans doute songé à envoyer des bombes sur des champs de fraisiers ou des semis de petits pois.

Il fallait tenter l'aventure. On n'avait d'ailleurs pas le choix.

Valentin Durafour conduisit le B. 312 au-dessus de la région indiquée, réduisit sa vitesse, perça le nuage de poussière qui s'étendait jusque-là, et réussit à atterrir dans une plantation de canne à sucre déjà couchée au sol par un ouragan.

La guerre n'avait pas duré plus d'une heure mais les ravages provoqués par les bombes continuèrent longtemps après. Les nations civilisées étaient rasées, leurs populations anéanties. L'atmosphère bouleversée par les explosions réagit en effroyables tempêtes. Des cyclones brassèrent les ruines, des raz de marée submergèrent les côtes. La croûte terrestre secouée craqua. Tous les anciens volcans rentrèrent en éruption et des nouveaux jaillirent dans les hautes montagnes, soulevèrent les plaines. L'Europe disparut en partie sous les eaux, l'Amérique fut coupée en deux, un continent surgit au milieu du Pacifique. Du petit royaume des montagnes qui avait provoqué le cataclysme, il ne restait rien qu'un éboulis, sous lequel gisaient les coupables. Parmi ses rochers neufs et ses terres bouleversées, les cascades cherchaient en chantant leur nouveau chemin.

Les passagers du B. 312, que vinrent rejoindre plusieurs autres stratobus rescapés et appelés par téléphone, eurent, de concert avec les survivants de la colonie, à lutter contre tous les fléaux.

Inondations, tempêtes, séismes, famine, épidémies, folie, anarchie…

Le professeur Coliot-Jurie, entouré d'une poignée d'hommes d'action, mena le combat et, tandis que s'apaisaient les soubresauts du Monde, parvint à organiser la vie des quelques milliers de survivants qui allaient former la souche de l'humanité nouvelle.

Il fallut des générations et des générations, pour que la civilisation atomique pût renaître, s'installer d'abord sur l'ancienne calotte glaciaire, puis gagner peu à peu tout le globe, à mesure que les hommes se multipliaient. Le professeur Coliot-Jurie avait formé des élèves, qui en formèrent d'autres. Ils orientèrent l'humanité vers une vie où la science était enfin mise au service exclusif de la paix et du bonheur. La nature les aidait. Chaque couple avait un grand nombre d'enfants. Une langue universelle régnait, faite du mélange des anciens langages de tous les rescapés. Les îlots de survivants de diverses races, retournés à l'état sauvage, que l'on découvrait çà et là, au fur et à mesure de la conquête pacifique de la Terre, étaient scientifiquement absorbés, assimilés par métissage. On fonda un peu partout, sur les continents, des centres de repopulation et d'extension. Vint un siècle où il n'y eut plus de déserts. La Terre formait une seule nation, d'une seule race.

2

Journal d'un civilisé

An 5946 de l'ère de paix totale,
cent quatorzième jour de l'année

Je viens de m'éveiller de mon sommeil de
trois semaines. C'est cet après-midi que je dois
fournir à la collectivité mes deux heures de
travail mensuel. Dieu et l'atome soient bénis.
Dieu est atome. L'atome est Dieu. L'infiniment
petit et l'infiniment grand se pénètrent et se
confondent. La dimension est une erreur, à
l'image de l'homme, et à son usage. L'homme
est moyen, l'homme est médiocre, mais il habite
l'infini et l'infini l'habite. C'est en quoi il est à
l'image de Dieu, et pourquoi Dieu a permis qu'il
se serve de l'atome, pour se rapprocher de Lui.

J'ai pris l'habitude, dans les circonstances
importantes de ma vie, et à certains moments
où je me sens particulièrement en paix et lucide,
de faire quelques réflexions à haute voix. Mon
appareil enregistreur les grave dans la texture
intime d'un fil d'argent. Après ma mort, mes
enfants et mes plus lointains descendants pos-

séderont ainsi quelques kilomètres de fil en bobines qui conservera ma voix inaltérable. Il leur suffira de faire dérouler le fil d'argent dans le même appareil, en inversant le courant, pour m'entendre, longtemps après ma mort, leur raconter les détails de la vie de notre époque.

Je suis riche. Je possède cent vingt grammes de matière en désintégration. Chaque citoyen, à sa naissance, en reçoit dix grammes. Cela lui suffit pour alimenter en énergie, pendant toute sa vie, les moteurs de ses appareils ménagers et de ses véhicules. Il en reçoit d'autres, au cours de son existence, s'il se distingue particulièrement par son travail, sa vertu, son dévouement à la Nation, ou ses dons artistiques. Il peut alors s'offrir le superflu. C'est mon cas. À sa mort, les sources d'énergie sont restituées au Trésor public.

Chaque jour, chacun doit brancher pendant une demi-heure son générateur d'énergie sur le réseau collecteur, au profit de la Nation. C'est notre façon de payer l'impôt. Cela se fait automatiquement, et personne n'y pense. C'est d'ailleurs peu de chose, si l'on pense que nos ancêtres d'avant le déluge de feu travaillaient au moins deux jours sur trois pour le percepteur.

Quand je mourrai, je rendrai à la Nation presque tout ce que j'ai reçu d'elle. Un homme peut difficilement entamer une pareille fortune. Le superflu, en réalité, se réduit à peu de chose.

Le plus humble citoyen jouit presque du même confort que moi.

Nos villes sont bâties à deux mille mètres sous terre, à l'abri d'un accident imprévisible. De cette façon, si l'une des usines qui fabriquent la matière désintégrable, et qui se trouvent en surface, venait à sauter, nous n'en ressentirions qu'un choc lointain. Il n'y aurait aucune perte de vie humaine, car elles fonctionnent seules, sans main-d'œuvre. Peut-être quelques imprudents promeneurs seraient-ils les victimes. Mais qui, aujourd'hui, se risque encore sur la croûte terrestre, en ces lieux où règnent les saisons et les climats, le chaud et le froid, le vent et la pluie ?

Nous avons admirablement exploré et aménagé, au cours des siècles, l'intérieur de notre globe. Nous y avons découvert des fleuves et des océans, acclimaté toutes les plantes d'agrément et les animaux familiers à l'homme. La lumière du soleil, captée au-dessus des nuages et transmise par télévision, inonde notre monde souterrain de ses rayons bienfaisants. Une température toujours égale nous entoure. Nos véhicules rapides se déplacent sans bruit, sans fumée, sans gaz de combustion, dans d'immenses avenues bordées d'arbres toujours fleuris. Nous jouissons d'un printemps éternel, d'une douce paix. Béni soit Dieu ! Béni soit l'atome.

La prodigieuse ressource de l'énergie atomique a libéré l'homme de l'esclavage du travail. Des machines automatiques travaillent pour lui. Tout son temps lui appartient, à partir de l'âge de trente-cinq ans. Jusqu'à cet âge, il reçoit, dans les écoles nationales, une instruction obligatoire, qu'il peut, s'il en a le goût, poursuivre aussi longtemps qu'il le désire. Les esprits les plus doués, les intelligences les plus vives sont sélectionnés, et autorisés à fournir à la collectivité deux heures de travail par mois.

Mais les progrès continuels de la science, en rendant ce travail de plus en plus inutile, réduisent chaque jour l'élite admise à y participer. Pour ma part, j'attends avec impatience ce moment de ma vie où *je fais* enfin quelque chose. Je dois dire que c'est une bien grande, une très douce, une admirable récompense.

Pour passer le temps, les hommes ont inventé des arts nouveaux : la musique des ondes, l'architecture des couleurs, le cinéma total. L'Inda (Institut National de Distribution des Arts) diffuse sans arrêt d'admirables spectacles que chacun reçoit à domicile. Tout le monde envie les artistes, qui sont admis à travailler autant qu'ils le désirent et font à chaque instant effort de création. Mais n'est pas artiste qui veut. Même l'instruction dirigée n'y peut rien. C'est un don de Dieu. Béni soit-il.

L'homme commun, donc, n'a plus à se déplacer, plus à se donner la peine de faire le moindre effort. Une cellule lui est affectée à sa naissance, à côté de celles de ses parents. Une cellule par personne, quel que soit le nombre des membres de la famille. Il y vit, il y dort, il s'y nourrit, il s'y distrait. Il lui suffit d'appeler un meuble à haute voix pour que ce meuble sorte du mur ou du plancher, où un autre mot le fait rentrer. Il lui suffit d'avoir faim ou soif, d'avoir envie d'un aliment ou d'une boisson, pour que les ondes cérébrales de son appétit, de son désir, déclenchent un train d'ondes électromagnétiques, qui vont commander à l'usine cet aliment, cette boisson, qui arrive quelques secondes plus tard, fumant ou glacé, par le conduit d'alimentation de sa cellule.

S'il a envie de faire l'amour, le même phénomène projette dans l'espace les ondes de son désir, qui y rencontrent les ondes semblables d'une femme tourmentée par le même besoin. Et sans se déranger, sans se connaître, sans effort, ils prennent ensemble leur plaisir.

Cela permet aux laids et aux vieilles de connaître des joies que les civilisations précédentes leur refusaient.

Nous avons fortement prolongé la vie humaine, mais pas encore trouvé le moyen de conserver à l'homme sa jeunesse. Et si nos jeunes gens et nos adolescentes se promènent nus, dans tout le rayonnement de leur beauté, les femmes à dix-huit ans et les hommes à vingt-cinq prennent l'ample vêtement qu'ils ne quitteront jamais plus, et derrière lequel leur visage et leur corps pourront vieillir et se rider sans offenser la pudeur. C'est à cet âge-là qu'on se marie, pour avoir, pendant dix ans, un enfant chaque année. Ensuite, l'amour télépathique est seul autorisé.

Malgré les spectacles que le cinéma total lui fournit à domicile, spectacles en relief et en couleurs, odorants et sensoriels, d'une infinie variété et d'un choix sans cesse renouvelé, malgré la bibliothèque électrique qui lui permet de faire dérouler, sur son écran de poche ou d'appartement, le texte de tous les livres du monde, malgré la télévision qui lui permet de transporter son regard dans tout l'univers sans bouger de chez lui, l'homme moderne s'ennuie. Une secrète nostalgie le ronge. Certains penseurs prétendent qu'il regrette le temps où, écrasé par l'esclavage du travail, il subissait en outre la maladie, les guerres, les drames passionnels, l'angoisse du lendemain, et l'humiliation de l'ignorance. Le temps où il avait besoin de lutter pour vivre, de se déplacer pour voir le monde, de bouger pour faire l'amour...

On a heureusement mis au point, pour les hommes atteints de ce spleen, le sommeil prolongé. Beaucoup de citoyens en profitent. En vérité, presque toute la population de la Terre, n'ayant rien à faire, dort trente jours par mois.

Pendant ce sommeil, le corps humain baigne dans des ondes qui le nourrissent et détruisent les toxines. Les mêmes ondes empêchent la formation des rêves. Notre sommeil est vraiment un repos complet. Personnellement, je n'y ai pas souvent recours. Je me passionne pour les voyages. Grâce à mes cent vingts grammes de puissance, je possède un appareil explorateur qui n'a pratiquement pas d'autres limites que celles du temps. Je passe de longues heures devant son écran. Il transporte mon regard partout où je le désire, sur la Terre et hors d'elle, sur les planètes de notre système solaire et hors de lui. J'ai peu à peu exploré tout ce qui était à la portée de mes ondes. Je vais recevoir dans trois semaines une émission envoyée par moi il y a quarante ans vers une planète d'un système solaire situé à vingt années-lumière de notre globe. C'est-à-dire que les ondes émises par mon appareil, voyageant à la vitesse de 300 000 km à la seconde, ont mis vingt ans pour parvenir à leur but, et sont en voyage-retour depuis vingt ans pour me rapporter l'image de ce qu'elles ont vu. J'en enregistrerai un film, et en donnerai une copie à l'Institut Central des Recherches qui prépare soigneusement, méticuleusement, la conquête de l'Univers par l'homme. Au rythme de dix naissances par couple, et la mortalité étant pratiquement nulle avant l'âge de trois cents ans, l'humanité se multiplie prodigieusement. Il y a longtemps que la Terre ne lui suffit plus. Nous avons d'abord conquis la Lune, puis Mars et Vénus, les deux planètes les plus proches de la nôtre. C'est sans doute là la plus prodigieuse conséquence de la découverte de la désintégration atomique. Elle a enfin donné à l'homme une source d'énergie assez puissante pour lui permettre de s'arracher à l'horrible pesanteur qui, depuis le commencement de la création, le tenait englué à la Terre. Nous ne sommes plus, aujourd'hui, fixés à ce grain de sable. Nous avons réchauffé la Lune. Nous lui avons créé une atmosphère, nous avons nivelé ses monts et comblé ses abîmes. Et nous l'habitons. Pour Mars et Vénus, nous avons dû d'abord détruire, avant d'y aborder, la faune et la flore indigènes, puis, par projection de forces dirigées, modifier leur vitesse de rotation pour créer à leur surface une pesanteur identique à celle qui règne sur notre globe. Enfin nous nous y sommes installés, après avoir réglé leur température et leur atmosphère. Tout cela s'est fait sans peine. Quelques hommes et de merveilleuses machines ont exécuté ces travaux. C'était jeu d'enfant. D'innombrables véhicules interplanétaires sillonnent l'éther. Bientôt tout le système solaire accueillera l'homme, et deviendra à son tour trop petit. Alors nos petits-enfants s'en iront vers des soleils voisins. La créature de Dieu, partie de ce grain de poussière dans l'univers, conquerra l'espace infini. Sa puissance ne connaît plus de limites. Et si, dans des milliards de siècles, le ciel vient à manquer de terres pour le peuple des hommes, ceux-ci seront en mesure de créer de nouveaux habitats. En effet, si nos ancêtres ont trouvé le moyen de transformer la matière en énergie, nous sommes sur le point, nous, de transformer l'énergie en matière, et nos lointains descendants, héritiers de notre prodigieuse science, recommençant l'œuvre de Dieu, pourront faire sortir du néant les mondes dont ils auront besoin.

3

Journal du petit-fils du précédent

Mille ans plus tard

Stupéfaction ! Un affreux message vient de tirer les hommes de la Terre du doux sommeil dans lequel ils étaient plongés depuis dix ans. La colonie humaine de la planète Pluton vient de se déclarer indépendante, et se révolte contre les lois de l'humanité. Toutes les communications interplanétaires sont interrompues. Les hommes de Pluton, sous la conduite d'un chef chevelu nommé Orphée, prétendent se retrancher de la course de l'humanité vers le progrès. Orphée dit que nous avons assez regardé en avant, et qu'il veut regarder en arrière, qu'il renonce à la civilisation et à son mortel ennui, et qu'il veut recommencer à transpirer et à semer du blé !

Abomination ! Cet homme a entraîné dans sa folie les six cents milliards d'hommes qui peuplent sa planète. Il dit que si on ne lui laisse pas vivre la vie qu'il lui plaît, Pluton conquerra sa liberté par la guerre.

Tous les hommes de la Terre ont été immédiatement mobilisés sur place. Ils devront fournir chaque jour dix minutes de travail.

. . . .

Nouveau message. La folie s'étend. La Lune se solidarise avec Pluton, ainsi que Mars et Uranus. Mais Saturne, Vénus et Jupiter sont avec nous. Nos usines de surface fabriquent en toute hâte des armes éclairs. Nous devons d'abord parer au danger immédiat, détruire ce cancer attaché à notre flanc : la Lune. Les hommes de tout le système solaire sont mobilisés. D'énormes fusées à désintégration sont braquées vers les planètes ennemies. Mais tout espoir n'est pas perdu. On négocie. Ce n'est pas encore la guerre…

. . . .

C'en est fait. La guerre a éclaté. Par mesure de défense, nous avons attaqué les premiers. Mais nos fusées ne sont pas parvenues jusqu'à la Lune. Le système lunaire de défense par ondes les a fait exploser dans l'éther, à une distance où elles n'étaient pas dangereuses. La Lune a aussitôt répliqué ; nous nous sommes défendus de la même façon. Une étrange exaltation me saisit, un adorable émoi trouble mon cœur dont je n'avais jamais senti les battements : j'ai peur et j'ai envie de vaincre. Je tremble et je hais. Je suis un homme.

Tous nos appareils personnels de source d'énergie doivent être branchés vingt heures par jour sur le grand collecteur, pour fournir aux usines de guerre le surcroît de puissance dont elles ont besoin. Pendant ces vingt heures, nous sommes privés de tout, notre univers personnel est entièrement arrêté, aucun de nos appareils ménagers ne fonctionne.

À partir de demain, les usines de nourriture ne fabriqueront plus qu'un plat unique, qui sera distribué à heure fixe. Nous acceptons héroïquement ces restrictions. C'est pour la victoire ! Vive la Terre !

. . . .

Le conflit est devenu général. Pendant les courtes heures où je peux disposer de mon appareil de télévision, je parcours des yeux l'éther qui offre l'étrange spectacle de l'explosion des fusées. Aucune n'a encore atteint son but. Elles éclatent en course, dès qu'elles se heurtent aux ondes. Dans le noir du vide infini, elles font naître des constellations fugitives et multico-

lores. C'est un merveilleux ballet de lumière et
de couleurs. Mais patience ! Nous mettons au
point une fusée contre laquelle aucune défense
ne pourra rien. La Lune et ses alliés infernaux
en feront bientôt la connaissance.

. . . .

Horreur ! Horreur ! Horreur ! Pluton nous a
devancés ! Orphée ricanant et triomphant vient
de nous annoncer qu'il avait envoyé vers la Terre
une fusée chargée de cent millions de tonnes de
matière désintégrable, et munie d'un dispositif
qui percera toutes les défenses. S'il a dit vrai, la
Terre entière va sauter. La Lune disparaîtra du
même coup, mais ce sera pour nous une mince
satisfaction. Quant à Orphée, il se moque bien
de son alliée !

La Lune, en apprenant le départ de la fusée
qui lui sera fatale, comme à nous, a renversé
son alliance et est passée dans notre camp.
Cela ne change pas grand-chose à l'affaire.
Heureusement, nous avons su riposter autre-
ment. Par une prodigieuse concentration de
toute la puissance de la Terre, nous avons pu,
sinon arrêter la fusée de Pluton ou la faire
exploser, du moins la dévier de sa route. Elle est
entrée dans la force d'attraction du Soleil et se
dirige implacablement vers lui. Dans les minutes
qui vont suivre, le sort du monde va se jouer.
Ou bien le Soleil absorbera la fusée comme une
simple étincelle, ou bien l'engin va provoquer

l'explosion totale de notre astre central. Dans cette seconde hypothèse, c'est le système solaire entier qui sautera, comme un simple atome, et fera sauter les systèmes solaires voisins, par désintégration en chaîne. C'est l'univers entier ! c'est l'infini ! c'est Dieu lui-même ! qui sont menacés de disparaître en une épouvantable, inimaginable flamme. C'est l'homme qui l'aura voulu. J'ai peur. Je suis fier d'être un homme.

COLLECTION FOLIO 2€

COLLECTION FOLIO

Composition Nord Compo
Impression Novoprint
à Barcelone, le 04 janvier 2016
Dépôt légal : janvier 2016
ISBN 978-2-07-046835-5./Imprimé en Espagne.

294165